ちくま学芸文庫

リベラリズムとは何か

マイケル・フリーデン
山岡龍一 監訳
寺尾範野 森 達也 訳

筑摩書房

LIBERALISM

A Very Short Introduction

by

Michael Freeden

Liberalism: A Very Short Introduction was originally published in English in 2015.
This translation is published by arrangement with Oxford University Press.
Chikumashobo Ltd. is solely responsible for this translation
from the original work and Oxford University Press shall have no liability
for any errors, omissions or inaccuracies or ambiguities
in such translation or for any losses caused by reliance thereon.

目次

日本語版への序文

リベラリズムは、諸々の原理や気質の集まりであり、普遍的な魅力を誇ってきた。だがそれにもかかわらず、その内容が受け入れられるためには、たゆまぬ努力が必要になる。それは異なった音色と音域によって同時に発せられた複数の声からなる複合体であり、それらを〔ばらばらにでなく〕一緒に聴くことが肝要である。リベラリズムはよく、ひとつの旋律しかもたないと誤解される。自由な市場と事業の魅力とか、互いに独立した諸個人の自由の強調とか、私有財産の重要性とか、恣意的あるいは計画的な国家干渉への抵抗などである。しかしながら、こうした諸要素がリベラリズムに含まれる程度に応じて、各要素間の釣り合いが保たれ、かかる諸要素を調整し拡張するようなさらなる議論が生まれるのだ。リベラリズムが一つのレッテルとしてリバタリアニズムやネオリベラリズムと混同されるとき、何世紀にもわたって着実に成長してきたこの偉大で霊感豊かな社会政治的イデオロギーは、貧弱なものだと誤って理解されてしまう。核となるいくつかの信念を損なわないかたちで、異なる社会に自らの形態を適合させ、変化し続けることで、リベラリズムはこれまで成長してきたのである。

この本は、リベラリズムによって豊かにかつ持続的・発展的に結びつけられてきた、次のような多くの要素を探究するものである。立憲的秩序と人権の尊重、個人の成長と創造性の保証、他者との結びつきのなかでの自由の追求、善き生をすべての人に対して平等かつ公平なかたちで守ること、人の多様性に価値をおくこと、個人的な空間を確立しつつ同時に、共同で助け合う仕組みを、相互利益を生む仕方で構築すること。これらのいくつかは、政党――日本の政党も含めて――がリベラリズムという言葉で理解している内容を超えるものである。だが、それらはすべて、リベラリズムが届ける幅広いメッセージにとって根本的かつ不可欠のものなのだ。リベラルとは何よりも、気前の良さ、オープンさ、寛容さ、自己批判、そしてヒューマニズムを、世界レベルにおいて文明化された人びととは何かをあらわす社会的・文化的指標とみなす人のことである。この書物を通じて、日本の読者にわたしのリベラリズム研究を提供する機会が与えられたことを、わたしはたいへん光栄に、また嬉しく思っている。

マイケル・フリーデン

オックスフォード大学

リベラリズムとは何か

第一章　甍連なる大御殿——多様性の確認

人びとが最初に「リベラル」という言葉を、寛大さや豊富さという意味で使ったとき、今の時代にこれほどの威容を放っているリベラリズムの登場を思い描く者などいなかった。「リベラル」が開かれた心性や寛容を連想させる言葉になったとき、その未来の姿がおぼろげながらに見えてきた。しかしながら、二〇〇年前のスペインにおいて、ある政党を意味する「リベラレス（liberales）」という言葉がつくられて以来、リベラリズムは堂々とした仕方で公共の舞台に上がるようになった。つまり、不当な制限から解放された空間を望む諸個人の合言葉として、また政治の活動を正統化し文明化することを意図した基本的な制度的取り決めとして、である。とりわけ、それは自分自身が理解するような仕方で生きたいと望む諸個人のために、改革や解放、可能性の開示を意図した、理念や政策を示すものとなった。すべてのイデオロギーや集団的に信じられている信念体系と同様に、リベラリズムは公共的な承認を得て〔その政策が〕実施されることを競い合っているし、またそれらすべてと同様に、多くの方面から非難されてきたのである。

しかしながら問題は、リベラリズムと呼ばれる単一で明快なものなど存在しないということである。既存の、そして現に存在するリベラリズムはすべて、これまでに蓄積された多数のレパートリーのなかから意図的に、あるいは無自覚に一定の諸要素を選択して他の要素を除外しているのであるが、これは、ある要素が他の要素と両立しないということ、および知的な流行や慣習が変化することの両方に起因している。その結果、数多くの信念体系や理論がリベラリズムという見出し語の下に置かれるが、それらのいずれも、リベラリズムという語が仮説のうえで最大限含みうる諸々の可能性（すなわち理念や政治的な取り決め）や、歴史上さまざまな場所でなされてきたリベラリズムの政治的実践のすべてを含みこむことはできないことになる。たとえば、現代でも通用している用法である、古典的リベラリズム、社会的リベラリズム、ネオリベラリズムなどの言葉を考えてみよう。古典的リベラリズムは、個人の自由（リベラリズムとの密接な語源的関係をもつもの）、人間の独立性、そして法の支配を中心に展開しており、国家や政府が個人に対して正当に行うことができることがらの範囲を重要な点で制限していた。社会的リベラリズム、およびちょうど一世紀ほど前にイギリスで生まれたニューリベラリズムは、スカンジナビア諸国の社会民主主義的な一部の構想と並んで、相互支援と相互依存のネットワークによって維持される、個人の発展と成長のための条件を探求していた。現代の福祉国家はこの種のリベラリズムから生まれたのである。しかしながら、非常にまぎらわしいのだが、「ネオ」リベラルと「ニュー」リベラルはまったく異なる方向に進む。主に二〇世紀後半の産物であるネオリベラリズムは、人間の幸福な暮らし《ウェルビーイング》が社会全体に広く育まれることよりも、競争的市場と個人的な進歩がもたらす有益な結果をことさらに強調する。第七章で論じるように、それがリベラルたる資格を有するかどうかには大いに議論の余地がある。リベラリズムは基本的に制約のない私的活動に関するものだと考える人びともいれば、リベラリズムは相互援助的で企図を共有する社会で、個人が理に適った仕方で成長することに関するものだと考える人びともいるが、両者のあいだに共通点はあまり多くないのだ。

同じく注目すべき点として、リベラル達のあいだで、またリベラルの批判者達のあいだでも、リベラリズムの諸特徴のうちどれが最も重要であるかをめぐって、しばしば明らかな意見の不一致が生じることが挙げられる。リベラリズムが関わるのは個人の自由を増やすことなのか、それとも万人を平等に尊重することなのか。他者への危害を制限することなのか、それとも人間性の開花を可能にすることなのか。より人間味があるということなのか、それともより生産的であるということなのか。影のような偽物達に囲まれた、唯一

図1　このワード・クラウドは、リベラリズムを構成する、またそこからさまざまなリベラリズムが形成されるかもしれない、思想の多様性とその内部の複雑さの一部を表している。そうであっても、リベラリズムに不可欠であると多くの人が考えるプライバシーや財産はここに含まれていない。

の真なるリベラリズムが存在するのだろうか。他のイデオロギーは、ハゲタカのようにリベラリズムをつついてその選択した一部を奪い取り、残りの部分を萎れるがまま放置したのだろうか。リベラリズムの研究者にとっての課題は、これらの相異なる理解を把握することであって、そのうちのどれか一つに固執することではない。したがって、諸々のリベラリズムという複数形で——類似点と相違点の両方を示す広範な概念の家族のすべての部分を——語ったほうがより正確かもしれない(図1)。リベラルの家族のなかには性格が似ている人も多いが、ほとんど言葉が通じない人もいる。[*1]

リベラリズムは勝利したのか？

政治的－イデオロギー的信条として、また正義にかなう社会の諸特徴に関する哲学的考察として、無数に存在するその熱狂的な信奉者達が、リベラリズムを偉大なサクセス・ストーリーとみなしている。なかでも最も熱烈な声の一つは、二〇年以上前に「リベラルな思想」の勝利を宣言したアメリカの哲学者、フランシス・フクヤマのそれであった(1)。彼の見解では、リベラリズムは普遍的に受容されたのであり、他のイデオロギーは普遍性に関してそれと同様の主張をすることはできなかった。だとすると、これはイデオロギー的対立の終わりなのだろうか。いまやわたし達は皆リベラルなのだろうか。この自信に満ちた見解に対しては、三つの問題が即座に思い浮かぶ。第一に、何らかのイデオロギーがその勝利を決定する地点が、どこにあるというのだろうか。イデオロギーがその決勝ラインを踏み越えて「わたし達はついに相手を打ち負かした！」と安堵するときは、いつなのだろうか。特に現在の出来事や思想を判断する場合、歴史がそのような最終性の証拠を示すことなどほとんどない。結局のところ、魔術への信念――かつては世界で起こっていることを解釈するうえで有力な説明要素であった――でさえ、現代社会において完全に消滅したわけではない。イデオロギー的勝利の基準が何であるかを知らない限り、そしてイデオロギーの衝突に明確な終わりを確立できない限り、この問いは無意味なままである。リベラリズムの勝利を前提とする人びとは、実際のところ、リベラリズムの一つのバージョンが勝利し、その他のバージョンが敗北したと無批判的に主張しているだけなのである。これも間違いなく根拠を欠いたままの主張なのだ。なぜなら、思想、理論、あるいはイデオロギーの分野で何が勝利とみなされるかについては、常に論争があるからである。短期的な勝利が長期的な敗北に終わる可能性は十分にある。二〇世紀の共産主義の歴史はこのことを証明している。だが、それよりもさらに長期的観点において共産主義に〔将来〕どのような運命が待ち受けているのかについて、いったい誰が知っているだろうか。

第二に、世界のほとんどの地域でリベラリズムが受け入れられたとするような証拠などほとんどない。ある種のリベラル・デモクラシーを求める願望と並んで、宗教に基づくイデオロギー、過激なポピュリズムの諸形態、信念と支配が独裁的になっている状況、そしてもちろん、多くの保守的な体制が、現在でも存在している。フクヤマ自身の社会、つまりアメリカ合衆国〔以下、アメリカ〕では、リベラリズムに対する非難の言葉が大量に積み上げられている。しかし、それでもなお、リベラルな観点へと発展的に収束するプロセスが存在するのではないだろうか。なるほど、他のイデオロギーの将来の広がりについて判断を下すのは時期尚早であり、間違っているかもしれない。急速に変化し、ますます断片化する世界において、思想の将来を予測することは、容易になるどころか、ますます難しくなっている。グローバル化の進展へと向かう歴史の運動を目の当たりにしていると主張する人達でさえ、互いに著しく異なった、グローバリズムをめぐる競合するヴィジョンを語っているかもしれない。たとえば、市場価値のグローバリゼーションは、人類の連帯というグローバリゼーションと対立するものなのかもしれないのである。それゆえリベラリズムのグローバル化は、いまだに人によってはまばゆく耀くものなのだが、決して起こらないことなのかもしれないのだ。

第三に、フクヤマはリベラリズムと呼ばれる一つの明快なものがあることを暗示したが、実際にはそうではないことを示唆する証拠がある。リベラリズムに対するさまざまな見方があると認めることは、この思想を理解するうえで大きな助けとなりうる。それぞれの視点はリベラリズムの特徴の一部を明るみにすると同時に、他の特徴を見えづらくする。絵画を見るとき、作者、構図、芸術美、使用された技術と材料、商業的価値、または芸術の歴史におけるその位置について、尋ねるかもしれない。どの問いを立てるかはすべて、わたし達が一番興味を持っている主題が何であるかによる。同じように、あらゆるイデオロギーと同様にリベラリズムにおいても、それについてわたし達が知りたいことすべてを教えてくれるような明確なアプローチは存在せず、そのすべての側面をカバーする便利な単一の定義もないのである。

それゆえ本書は、多くの角度からリベラリズムを探求することになる。フクヤマの欠陥のあるメタファーを使用すると、イデオロギーのレースと呼ばれているものには多くのリベラルなランナーが参加しているので、リベラリズムが勝者だと性急に宣言したとしても、リベラリズムの多くのバージョンのどれが「勝った」のかは分からないのである。「リベラリズム」というラベルの下に分類されている思想と社会のあり方は、これまで実際にそうであったように、これからも大幅に変化する可能性がある。政治評論家や社会的預言者達は、頻繁に「終焉主義《エンディズム》」の発作に襲われるものだが、それは彼（女）らが抱くユートピア主義、目的論的必然性、あるいはシニシズムの兆候以上のものを表している。しかし、あらゆる種類のリベラリズムを組み入れることができる定義など存在しないとしても、リベラリズムに関するより永続性のある特徴について、第四章で詳しく説明するつもりである。

リベラリズムの誘惑

リベラリズムには多くの人びとが非常に魅力的だと感じる何かがある。フクヤマがその特徴とみなした終局的な普遍主義には及ばないものの、それでも多くの政治哲学者はリベラリズムを、万人に広めるべき社会的および政治的生活に関する高貴なヴィジョンだと考えている。たとえ万人に普及できなかったとしても、リベラリズムは少なくとも西洋世界においては広く尊敬をあつめる一組の思想である——ただし、のちほど見るように、それは急進派と保守派の双方から疎まれるものでもある。そのうえ、現実に遂行されたリベラルな諸実践には諸々の制度的な帰結が伴っているが、それらは壮大な、ときに自画自賛的な歴史のタペストリーに織り込まれている。これらの実践の多くは、「リベラル・デモクラシー」という言い回しで表されるようになっている。優れた統治の一原理としてリベラル・デモクラシーは、数多くの国々においてしっかりと根を張っており、それ以外の国々では是非とも達成すべき目標となっている。それは次のような明確なメッセージを帯びている。デモクラシーは、それが人民の支配を意味する場合には、大変結構な原理であるが、選挙によって自分達自身の政府を勝ち取ることは、その最低限の装備にすぎない。その装備は必要だが、ある政治システムが「リベラル」と呼ばれるには不十分である。リベラル達は、デモクラシーが価値ある統治システムとみなされるためにはさらに追加的な特徴が示されなければならないと主張している。つまりデモクラシーは単なる多数者支配の追求ではなく、公平、寛容、包摂的、〔権力〕抑制的、自己批判的でもある必要があるのだ。リベラル・デモクラシーは単なる選挙ではなく自由選挙を必然的に伴う。それはただ代表制統治であればよいのではなく、アカウンタビリティを伴う制限的統治でなければならない。それは単なる投票権ではなく、権力に監視されない平等な投票権を必要とする。そして、それは社会の全成員の幸福な暮らし《ウエルビーイング》に関心を払うこと——この原理は何らかの政府の活動を要求するものであるが、異なる解釈に対して開かれているかもしれない——を必然的に伴う。リベラルが要求する資質は広範かつ多様である。リベラリズムを説くことは、それを実現するよりもはるかに簡単なことなのだ。

リベラリズムの諸実践は、憲法や、政治論議において許容される公開性の程度、および社会がその成員に分配しようとする権利のセットに影響を与える。しばしばこの実践はすべての人びとの生の可能性《ライフチャンス》を増やすために富を再分配するという野心的な計画を伴うが、一部のコメンテーターは、通常は保守またはリバタリアンの観点から、それを社会主義の一形態であると非難する。また、あらゆるイデオロギーにおいて普通に見受けられるのと同様に、宣言された諸原理と実施された実践のあいだにギャップが生じる可能性がある。リベラルな諸原理は、それらに賛同する人びとによってさえ守られない可能性があり、それらを手が届かないものだとして拒否する社会もある。この場合わたし達には、リベラルな諸原理とリベラルな諸実践のどちらに依拠したら、リベラリズムに典型的なものを特定するうえでの近道になるのかを、決定する必要があるのかもしれない。リベラリズムの評価というのは、単なる机上の知的活動ではないのだ——ただし、そうしたことをしても、何の問題もないのだが。それはむしろ、ある社会がその現場でどのような政治を行っているのかに関係している。

しかしながら、政治的な言説や言語、論争の世界において作動する、リベラルな精神のあり方ないしはリベラルな思考パターンといったものもまた存在する。哲学者達、政治理論家達、思想の歴史家達、実務政治家達、そして諸々の政党はすべて、互いに大きく異なるモデル、目的、批評、および確信に依拠して、議論を闘わせている。善き生を送るための一連の指導原理として、哲学者や倫理学者はしばしばリベラリズムを普遍的な名声に値する美徳と教訓からなる拘束力のある原理だと考えている。それゆえ、フクヤマがリベラリズムを普遍的なイデオロギーとみなしていたことは明らかに真実ではないものの、それでも多くの政治理論家達が、リベラリズムを普遍的であるべき哲学的・倫理的な格率であると考えている。つまりそれは、社会道徳と正義という規範の最高の表現だというのである。リベラリズムは彼（女）らにとって、実際に実現されているかどうかに関係なく、すべての正しい考えを抱く個人にふさわしい一般的な一組の理想として存在しているのだ。要するに、多くの人びとにとって、リベラリズムは熱心に追求されるものの一標語であり、達成された暁には断固として擁護されるべき価値なのである。支持者達はこの標語の恩恵に浴し、批判者達はその非現実性や偽善性に軽蔑のまなざしを向けている。

リベラリズムの過剰状態

これとは別の重大な問題がある。リベラリズムはヨーロッパ由来の信念が集まったものから始まったのであるが、この大陸のなかでさえ、合意された意味が存在しないのである。ヨーロッパ内部におけるその評判とそれが生み出す意味合いは、政治的スペクトラムの非常に異なる地点に、つまりイギリスにおいては中道左派、フランスとドイツにおいては中道右派に位置している。スカンジナビア諸国、特にスウェーデンでは、多くのリベラルな思想が社会民主主義という項目に分類されて広まったが、そこでリベラリズムと名づけられたものは、エリート主義や中産階級の個人主義と頻繁に結びつけられてきた。ヨーロッパの大部分およびその外側において、あらゆる種類の社会主義者が、リベラリズムは労働者階級の利益に反して行動し、反社会的利己主義を助長し、多くのリベラル達が広めたいと思っている包摂性のメッセージを裏切っていると非難している。東ヨーロッパでは一九八九年の共産主義の崩壊以来、リベラリズムは〔個人生活に対する〕国家の侵入からの保護を提供し、中央集権化から逃れた人びとに市民社会内部にある聖域をもたらすものだと考えられてきた。しかし、東ヨーロッパの人びとのなかにはリベラリズムを、過去のイデオロギーと政治システムによって彼（女）らの社会でそれまで否定されていた、市場主導の繁栄という魅力的な果実で誘惑してくるものだと考えている者もいる。リベラリズムは、誤解と両義的理解にさらされてきたものでもある。アメリカにおいてそれは、大きな政府と人権の保護者とみなされ、あるいは反対に、過保護国家《ナニー・ステイト》という人をだめにする福音だとみなされている。一部の非常に宗教的な社会ではリベラリズムは異端と同義であり、神ではなく人間を万物の尺度とみなし、個人の選好という世俗的な傲慢を神の意志よりも高く掲げる、誤った思想だとみなされている。

以上述べてきたことに驚くべきではない。というのもこのように注目度の高い教義は、歴史のなかで激しい批判と疑念を惹きつける定めにあるからである。リベラリズムはでしゃばりで、危険で、人びとの力を奪う教義であり、その旗印の下で社会のレベルでも個人レベルでも、危害が与えられてきたのだ、と非難する人びとがいる。多くのポスト構造主義者は、リベラル達が調和と協調という誤った理想を育みながら、有害なほどに個人主義的である、と非難してきた。その文化に反対する人びとのなかには、蓄積された伝統的な社会的知恵の上位にリベラリズムが自らを位置づける点を非難する者がいる。どれほど思いやりがあるものだとしても、それは結局のところ資本主義の擁護論であると非難されてきた。リベラリズムは、社会生活に関する文化的に有意義な理解で、自らのものと異なる理解の諸々を転覆させ、従属させようとする西洋的な思想パターンの一つであるとして拒絶されてきた。つまりそれはヨーロッパ内部における大規模な搾取ばかりでなく、さらに悩ましいことに、ヨーロッパの旧植民地諸国における過去の植民地政策を隠蔽するための覆いを提供しているとされたのである。リベラリズムは女性に適切な社会的な取り分を与えることに失敗した教義として酷評されてきた。また感情や情念を犠牲にして人間の行為の合理性を誇張するというその思想は、嘲笑の対象となっていた。あるいはまたそれは、人びとのあいだにあって活力を生みだす多様性と非連続性を覆い隠すような人工的なコンセンサスを語る、おめでたい理論であるとして嘲笑の対象になっている。

要するにリベラリズムは、真理探求者によって採用され、ヒューマニストによって是認され、改革者によって喧伝され、ライバルのイデオロギーによって投げ捨てられ、自らの本当の政治的意図を偽装したい人びとによって故意に悪用され、それが反社会的行為を隠す自己妄想的な煙幕だと考える人びとによって攻撃されてきたのである。その複数の外見によって、リベラリズムは誇りに思うものだとされることもあれば、非難すべき嘆かわしいものだとされることもあった。それでも、結局のところ、リベラリズムは最も中心的かつ広範に普及した政治理論とイデオロギーの一つなのである。その歴史は、文明化された思考、政治的実践、哲学的‐倫理的創造性の、貴重な遺産を伝えている。その出現の過程においてリベラリズムの多様な流れは、人間精神の最も重要な成果のいくつかを担ってきた。リベラリズムがなければ、近代国家を思い描くこともできなかっただろう。リベラル達が念頭に置いていた国家は、支配者の利益よりも個人の利益を優先する国家であった。つまりそれは、統治の限界と可能性の両方を認識しており、適切な生活水準に必要な市場交換を可能にし、個人の繁栄に有益な私有財産の保有を正当化し、自由と繁栄の妨げとなる障害から個人を解放し、そして法律と憲法の取り決めを尊重する国家なのである。人間の尊厳に関するリベラルな構想がなければ、個人の独創性と独自性を維持することはもちろん、想像することさえも困難であろう。しかしリベラリズムはそれ以上のことを達成した。より最近の歴史において、リベラリズムは他者の苦境と福祉に対する配慮をも肯定しており、社会内部の社会的差異に敏感であるべきだと主張しているのである。

リベラリズムという響き——最初のサンプリング

過去二世紀にわたるリベラルな声のいくつかに耳を傾けてみよう。というのも、それは強力なイデオロギーであるのみならず、識別可能な一組の政治原理にもなったからである。最初に、熱烈な支持の声を聴いてみよう。

リベラリズムは……人間は、何であろうとも、自由なのだという認識から始まる。つまり、人間の行為はその人自身のものであり、彼自身の人格から生じたものであり、強制

することのできないものなのだという認識である。[2]（R・G・コリングウッド）

リベラル達は、政府を批判する万人の権利を、彼らがどんなに卑しい者、半端な者、口下手な者であっても、それらの人達の権利を神聖なものとみなす。[3]（レオ・シュトラウス）

リベラルというのは第一義的には政治的な意味をもつ言葉だが、この政治的意味というのは、この語が描き出す生活の質と、それが肯定することを望む感情によって定義される。[4]（ライオネル・トリリング）

リベラリズムは、近代世界の生活構造にすっかりと行きわたった原理である。……リベラリズムとは、社会は人格のこの自己指導力のうえに安全に構築されうるし、真の共同社会を樹立できるのはこの基盤のうえにだけにあるとする信念である。[5]（L・T・ホブハウス）

次に、いくつかの批判的な声がある。ある見方では、リベラルとは市場経済から得られる利点を、階級制度を利用して搾取する人びとを指す。カール・マルクスとフリードリヒ・エンゲルスは、フランス革命前後の時代におけるフランスとドイツの中産階級の利害に言及しながら、「この激しいブルジョア・リベラリズムの実践が……露骨なブルジョア的営利のかたちで姿を現す」(6)と書いた。別の見方では、リベラリズムは政治を、連帯と結束の探求ではなく、破壊的な競争と不和の舞台へと変化させるものになる。かくしてポストマルクス主義の哲学者シャンタル・ムフは、「リベラリズムは社会のうちにすでに存在する利害の多様性を公共の領域に単純に持ち込むことで、政治的なものの契機を、諸利害間の調整のプロセスへと還元するのである」(7)と書いた。アメリカの保守主義者の多くは軽蔑を表す言葉としてリベラリズムを採用し、それを過度の介入主義と多額の支出を行う政府や、責任を果たす市民――彼(女)らは他の人びとの失敗から生じる負担を背負わなくてよい――を犠牲にしてマイノリティや周縁化された人びとの権利に過剰な配慮を行うことと結びつけている。アメリカの保守派の著述家であるラッセル・カークは、「今日におけるリベラル達は、あらゆる分野における国家の暴政の提唱者でありながら、人びとを解放したいという意図を、自己弁護の言い訳として示している」(8)と不満を述べた。

最後に、専門的な政治理論家や哲学者達の声がある。ほかならぬこのグループ内において、リベラリズムはもっぱら正義と公共の美徳に関する理論なのだとみなされている。哲学者のジョン・ロールズはこれを次のように表現している。「リベラルで政治的な正義の構想は、その内容として三つの主要な要素をそなえている。すなわち、平等な基本的諸権利と諸自由からなるリスト、これらの諸自由の優先、そして、社会の全成員に、これらの諸権利と諸自由を活用していくうえで適切な汎用的手段を保障することである」[9]。もう一つのバージョンは法哲学者ロナルド・ドゥオーキンのものであり、彼は「政府は善き生の問いとでも呼ばれるものについて中立的でなければならない」[10]と主張することで、法的−道徳的観点からリベラリズムを、特定の平等理論（そこにおいて市民達は平等な存在として扱われる）によって構成されるものとして定義した。ここで前提されているのは、個人は自分自身の人生にとって最良の選択の行使者であり、政府は私的領域において道徳的選択を指導することを避けるべきだということである。

歴史、イデオロギー、哲学としてのリベラリズム

リベラリズムとのさまざまな出会いを扱うには三つの方法がある。わたし達にできるのは、これまで多くの人びとが行ってきたこと、また現在も行われていることである。すなわち〔第一に〕、数多あるリベラリズムの特徴のなかの一つを正しいものとして拡充し、同時に他の特徴を虚偽か誤謬としてすみやかに退けることである。このような真理探求的

なものの見方をどのように考えるにせよ、それはリベラリズムに接近する際の柔軟性や多元性を許容しない。その代わりに〔第二に〕、さまざまなリベラルの変種のうち最も典型的な、または最も一般的なものを特定し、それをリベラリズムが意味するものの基準として定めることができるかもしれない。この場合わたし達は、その支持者達がリベラリズムだと自ら信じるものを誤認しているかもしれないというリスクを負い、また変化する多数派の見解に服することにより、リベラルな思想がそなえている繊細さと特質を犠牲にする可能性がある。あるいは〔第三の方法として〕、相異なる複数のリベラリズムの諸特徴を、互いに共通する要素と異なる要素の両方について、配置し、特定し、追跡する地図を提供することができるかもしれない。この地図を使えばさまざまなリベラリズムが、不格好ながらも継ぎはぎされているさまが理解できるようになる。この地図を手にすれば、わたし達はリベラリズム全体としての幅の広さとその影響力を認めながら、リベラリズムの主要な諸形態それぞれの貢献と欠点を吟味することができる。本書が展開するのはこの第三の方法にもとづく考察である。次章以下では、人びとがリベラリズムを説明する際に示す選択的な選好を分析するが、それは必ずしもそれらを支持することを意味しない。しかしながら第七章で述べるように、リベラリズムの立場が不正に流用されるという（しばしば生じる）事態に対しても、わたし達は警戒しておく必要があるのだ。

リベラル達は常に、個人と社会の関係について考える伝統の一端を担っていると自任しているため、ジョン・ロック（一六三二―一七〇四）のような自然権と寛容の唱道者や、ジョン・スチュアート・ミル（一八〇六―七三）のような自由の擁護者の名前を挙げて、リベラリズムには立派な知の系図があることを主張できる。それゆえに、リベラリズムを調査する十分に確立された方法の一つは、個人と社会がどのように進歩するかを語る歴史物語としてアプローチするというものになる。「進歩」はここでは操作的な語であるが、それは、リベラルなプロジェクトが、段階的かつ着実なそのプロセスにおいて、人間の状態の継続的な改善と洗練を伴うものである、という根本的な前提があるためである。しかし、リベラル達はリベラリズムが旅した道について自分達自身の明快な物語を持っているのに対し、リベラリズムの研究者は、その旅で起こったと考えられることについての、それとは競合する、むしろ異なった説明をするかもしれない。彼（女）らのあいだには、リベラルな思想の主たるものと、それがもたらした重要なイノベーションが何であるかについて、鋭い対立があるかもしれない。彼（女）らは、リベラリズムが特定の時代にピークに達したかどうか、現実に訴える理論として弱体化したのか、それともますます機知に富んだものになっているのか、そのルーツを裏切ったのか、それとも強化したのか、といった問いをめぐって意見が異なるかもしれない。リベラリズムはその歴史のなかで一様でな

別記1　リベラリズムの時間的な層

1．個人の権利を保護し、政府の抑圧がないところで人びとが生活できるような空間を確保することを目的とする権力抑制の理論

2．財の相互交換から個人が利益を得ることを可能にする、経済的相互作用と自由市場の理論

3．個人が他者に危害を加えないかぎりで、自分の潜在力や能力を発展させることを可能にすることを目指す、長期的な人間の進歩に関する理論

4．個人が自由と繁栄の両方を獲得するのに必要な、相互依存と国家管理的福祉に関する理論

5．集団の生活スタイルや信念の多様性を承認し、多元的で寛容な社会を目指す理論

い変化を経験してきた。時間の経過とともにさまざまな議論の層が生じ、その特徴がゆるやかに追加されてきたのである。第三章の議論を先取りするならば、リベラリズムは歴史的に五つの時間的な層から成り立っていると暫定的に示唆することができる（別記1を参照）。

それらの層の一部はまた、いくつかのケースでは消えたり影に隠れたりしてきた。いずれの時点においても、それぞれ異なる層が優勢であるか、または衰退している可能性があり、そのため、リベラリズムがそれらのあいだでどのような舵取りをしたかに関して、非常に多様な結論に達する可能性がある。

しかし、すでに述べたように、リベラリズムは混雑したイデオロギー世界のなかで居場所を求めて競い合うイデオロギーの一つでもある。つまりリベラリズムは、イデオロギー一般が共有するあらゆる特徴を明白

にもっているのであり、たとえば、反復的なパターンを示す志向的な一組の思想、信念および価値である、といった特徴をもつ。イデオロギーは政治共同体の社会的および政治的取り決めを正当化し、争い、または変更することを目指す。リベラリズムもまた、そのような仕方で公共政策と政治的言語をコントロールするための運動に参画しているが、もちろんそれは数多くのイデオロギーの一つに過ぎない。そのためリベラリズムはこれまで承認と影響力を獲得するために闘争を行う必要があったのであり、現在もそうする必要があるのである。

第三の次元においてリベラリズムは世界に関する哲学的見解を構成し、すべての理性的な人間が採用すべき善き生の諸原理を確立しようとする。その意味で、この哲学的見解は政治的な争いよりも上の次元に自らを位置づけ、あらゆる文明化された社会が熟慮のうえで支持すべき真の統一的な倫理的基準を定めようとする。このような哲学的視点が、そうした理想の実現を非常に問題含みのものにする現実の時代的および文化的制約を考慮に入れることは、きわめてまれである。それにもかかわらず、リベラルな哲学的原理の精緻化は最近の政治哲学の中心を占めている。それゆえ第六章ではそれらの議論を深めるために紙幅を割くつもりである。

しかしながら、数多くのリベラリズムが存在する場合、一つの理念型を哲学的に仮設するよりも（このやり方はその性質上、一元的なものになる）、むしろ歴史的およびイデオロギー的分析を行ったほうがそれらを最も十全に特定できるであろう。こうしたリベラリズムの多様性は二つのレベルで存在している。第一のレベルは、すでに説明したように、地理的および文化的な相違に関係している。最も普遍的なリベラリズムでさえ、仮にそのようなものがあるとしても、当該社会の文化的フィルターを通過しなければならないだろう。料理と同様に、地元や地域の食材や調味料は、リベラルという料理に大きな影響を与える。世俗商業や金融の中心地では、リベラリズムが奨励する起業家の属性が前面に出てくる。世俗化を経験した社会では、神の意志による自然権よりも人間の品位《ディーセンシー》に対する信念が、他者に対するリベラルな感受性と尊重を支えている。多文化的な社会では、その社会内のさまざまな集団（民族、地理、宗教、またはジェンダーに基づく）が自己決定する手段をもつことに対する憲法上の権利が、リベラルな言説の内部で顕著となる。これらのニュアンスはすべて、自分達がどの時間的・空間的地点に立っているのかを意識した結果として現れる。

リベラリズムの形態学

イデオロギーの研究は、別の種類の複数性にも注意を促す。リベラリズムがその一つで

別記2　リベラリズムの概念的形態学

リベラリズムとは相互に作用する七つの政治的概念、すなわち自由、合理性、個性、進歩、社会性、一般的利益、そして制限されアカウンタビリティを負う権力、をその中核に含むイデオロギーである。

あるイデオロギーは、ある独特の輪郭や、ある際立った形態学的パターンを有する特定の組み合わせの下で、諸々の観念を集合させる。イデオロギーは自由、正義、平等、権利などの政治的概念を諸々のクラスターにまとめあげる。リベラリズムの中核的クラスターは、リベラリズムのすべての既知のバージョンに現れるクラスターであり、それなくしてリベラリズムを識別することはできない。第四章の議論を先取りすれば、わたし達はリベラルが実際に述べたり書いたりしたことの分析に基づいて、ある暫定的な主張に到達することができる（別記2を参照）。

これらの七つの中心的要素は、すべてのリベラリズムにおいて核心となる部分を占めている。しかしながらこの事実よりも先に進むと、諸々のリベラリズム相互の違いが感じられ始める。第一に、リベラリズムという観念の家族内で、これらの概念それぞれに与えられる重要性の比率は異なるかもしれない。たとえば感情の役割を重視して合理性をわずかに格下げするリベラリズムがあるかもしれないし、人間の生来の社会性を軽視するリベラリズムもあるかもしれないし、また、一般的な利益に対してはっきりとした関心を示すよりも、強い形態の個性を好むリベラリズムもあるかもしれないのだ。リベラリズムというカクテルをつくる際には、基本的な材料は似ているかもしれないが、各材料の分量は変化する可能性がある。

第二に、これら概念のすべてがそれぞれ複数の意味をもっている。例を挙げると、自由は、自己決定を可能にするための外的制約の欠如を意味しうる。だが自由はまた自己発達を促進するために個人の潜在的能力を涵養する可能性に関係することもありうる。それはさらに、外部からの統制を除去しようとするメンバーの共同的な努力が可能になるように、何らかの集団やネイションを解放することを意味しうるし、あるいは、無秩序や社会的混乱に帰結してしまうような、無制約的な諸個人による完全に自由な競争を意味することもある。すべての政治的概念から数多くの構想が導かれるため、特定の状況下において最も適切な構想が何であるのかをめぐる論争が絶えない。イデオロギーが果たす重要な役割の一つは、イデオロギーに含まれているそれぞれの概念のなかで、どの構想を支持すべきかを決定することである。言い換えると、イデオロギーは数多ある意味のなかの一つ（それがいかに疑わしく、また幻想にすぎない可能性があるとしても）に確実性を付与することによって、それらの概念の本質的な論争可能性に終止符を打つ、[*2] つまり脱論争化をするのである。世界中の相異なる文化はそれぞれ、ある意味を取り入れ、他の意味を排除するだろう。特定の意味を選択することは、必ずしも意図的な欺瞞によるものではない。それは誠実に保持されているかもしれないし、無意識に想定されているかもしれない。リベラリズムが具体的に意味すべきものが何であるかを完全に一度きりで確認できるような、正しい公式や完全に客観的な観点などというものは、究極的にいえば存在しないのだ。しかし、わたし達が生きていくためには、たとえつかの間の、誤りを含むものであるとしても、確実性を作り出す必要がある。なぜならそれなくしては、対立する選択肢に直面したときに、世界に意味を与えたり決定を下したりすることができなくなるからである。リベラリズムは、人びとが自分達の社会的および政治的環境のなかで航海をしていく際に利用可能な数多くの地図のうちの一つを提供するものであり、それは多くの個人、政府、および社会を導いてきた地図である。リベラリズムへのこのような概念的アプローチについては、第四章で再度検討する。

リベラルな諸制度

リベラリズムは明らかに、政治運動、政治組織、および政党とも関連している。ヨーロッパやその他の地域でリベラル・デモクラシーの形態を実践しているほとんどの国は、党名または綱領のいずれかの点でリベラルな政党を擁している。多くの機関が、特に国際的な舞台において、一般的な意味におけるリベラルな思想の提供者を自任してきた。一九四五年の国連憲章は、平和、正義、平等な権利、および非差別の追求（これらはリベラルの辞書から直接導かれる諸原理である）を強調している（図2）。しかしながらここで、イデオロギーに表れたリベラリズムと制度に表れたリベラリズムのあいだに、ギャップが生じる。

図2　1945年6月26日にサンフランシスコで開催された式典における国連憲章の調印

一般的に言って、リベラルなイデオロギーは、その名の下で運営されている政党やグループよりも幅広さをもつ。J・M・ケインズは、「おそらく自由党（the Liberal Party）が国家に役立ちうる道としては、保守党政権には閣僚を送りこみ、労働党政権にはいろいろの構想を提供すること以上に、良い方法はありえないだろう」(11)という印象的な文章を記した。だがケインズには失礼ながら、イギリスにおける自由党、あるいはこんにち自由民主党（the Liberal Democrats）と呼ばれている政党は、長年にわたって広い範囲のリベラルな思想を摂取してきたのであり、政治政党がイデオロギー上の革新の源泉であることはまれである。実際、「リベラル」というラベルを誇示する一部の政党はリベラル派とはほど遠い。その例が、日本の自由民主党であり、この政党は中道右派保守政党である。一般にリベラルな思想家や思想は、知識人のあいだの議論や、社会改革者やジャーナリスト達（それにはリベラルな大義と手を結ぶ新聞が含まれる）による活動的な熱意、献身的な圧力団体、さらに最近ではシンクタンクやブログから、生まれてくる。しかし政党はその公的なイメージゆえに、世論が参照するイデオロギーの代表者であるとしばしば受け取られる。一九世紀の自由党は全盛期にあり、イデオロギー論争の議題設定に対するその影響力は最も高かったが、のちにこの力は低下してしまった。したがって政党は、彼（女）らが主張するイデオロギーの部分的に信頼できる指標にすぎない。また政党には、専門的で抽象的なレベルの議論を行うリベラルな哲学者が含まれることはほとんどないのだが、それは政党が、多数の有権者を惹きつけるようなコミュニケーションが容易で単純化された種類の言説に従事しなければならないからにほかならない。ミルのような政治哲学者がときおり国会議員になることもあったが、議員としての能力の点で彼らの影響は顕著なものではなかった。以下の章では、制度化されたリベラリズムについての言及は、ときおり触れる程度のものにするつもりである。それはそれ自体として魅力的なテーマだが、リベラリズムの核心へとわたし達を導くものではない。

その具体的な政治的色彩を超えて、リベラリズムはこの世界について考えること、およびこの世界のなかで考えることに対して、広く影響力を行使してきた。政治的近代の文化的特徴（開放性、反省性、適切な距離を取ること、懐疑主義、そして実験精神）は、リベラルなものの見方からインスピレーションを得てきたと言っても過言ではない。イデオロギーの影響力を、狭い政治の舞台の上だけで測定することはできないのである。

【訳注】

＊1　一群のことがら（たとえば思想）が、一つのかたまりをなすとみなせるほどに、類似していると我々が認知できる場合、それは必ずしもその一群のことがらすべてに共通の要素があるからではない。その成員間にはさまざまに異なった類似性が交錯しており、それにもかかわらず、全体として一つのかたまりだと認知できる場合が多い。このような類似性の特徴をウィトゲンシュタインは「家族的類似」と呼んだが、それは「体格、顔つき、目の色、歩き方、気性といった、ある家族の成員間に見られる様々な類似性」が、実際は様々に重なり、交差しているにもかかわらず、我々はその集団を一つの家族と認知できるからである。本書では、このようなメタファーで「家族」という言葉が使われることが多い（L・ウィトゲンシュタイン『哲学探究』六七、鬼界彰夫訳、講談社、二〇二〇年を参照）。

＊2　美学や倫理学のような価値を扱う言説において、一つの概念が異なった意味を複数持ち、その意味の決定が論争を呼ぶような場合で、この性質が解釈者の過誤や状況に依るのではなく、その概

念の本質から来る場合に、その概念は「本質的に論争的な概念」と呼ばれる。イデオロギーには、特定の実践のためにこうした論争を止めるという機能があり、かかる働きをフリーデンは「脱論争化」と呼んでいる。

第二章　リベラルの物語

政治思想史を書いたり教えたりする通常のやり方には、〔歴史学の他の分野と比較すると〕非常に独特な特徴がある。政治思想史は、およそ五〇人の個人がやり取りをすることで蓄積された思想として提示される。特急ルートはプラトンとアリストテレスの周辺から出発し、聖アウグスティヌスとトマス・アクィナスを通り、マキアヴェッリで停車し、その後ホッブズ、ロック、ルソーへと続く。そこからヘーゲル、マルクス、ミルに分岐し、さらに二〇世紀に向かう一連の支線へとつながっている。旅の途中にときおり小さな駅に停車するが、それは旅程によってまちまちである。わたし達はこの伝統を無視することはせず、第五章をこうした思想家のなかにあってリベラリズムへの中心的貢献がある人びとの評価に費やすつもりである。たしかに、ケンブリッジ大学出版局のブルーブックシリーズ*1のように、ときにはこの正典を拡大するために精力的な努力が払われており、そのため現在ではおそらく考慮に入れるべき一〇〇人ほどの個人がいるのかもしれない。しかし、次のことを少し考えてみよう。歴史学の他の分野では、五〇人であろうと一〇〇人であろうと、かくも非常に少数の人びとを取り巻く物語で茶を濁すことができるだろうか。たとえば、社会史や文化史の歴史家がそんなことをするだろうか。政治思想研究が奇妙なほどに歴史的な大雑把さをもつこと、あるいは歴史的観点自体を欠くことの理由は複雑である。一つには、政治思想研究は歴史家ではなく、もっぱらユニークで傑出した、先進的なことがらに関心をもつ学者－哲学者によってデザインされるのが主流であったという事情がある。第二に、それは政治的思考を明確な順序で展開されるものとして捉える（いまでは論争的な）進化と進歩の諸理論に根ざしていた。第三に、それは政治の観念を、顕著に西洋的なバイアスを伴ってはいるが尊厳がある文化の、難解だが興味をそそる中核的要素を構成するものであり、しかもかかる文化が具体化されたものであるとみなすという、（大学において奨励されている）自己永続的な慣習となったのである。

もちろんリベラル達は、こうした人間の想像力が生んだ偉業と、たとえそれが選択的でエリート主義的であったとしても、共謀関係にあった。第一章で示唆したように、リベラリズムにアプローチする一つの方法は、いかにして個人や社会が時代とともにより善い方向へと変化していくのかを語る物語として、それを見ることである。リベラル達が語りたいのは文明の発達と人類の進歩についてのお話である。その楽観的な物語によると人間は、ますます自由への愛と暴政や抑圧への反対によってつき動かされるようになってきている。自分自身の個性の涵養と他人の個性の尊重は、まっとうな社会《ディーセント・ソサエティ》の品質証明であると考えられている。それゆえに、リベラル達は自由と個性を保護し強化することを目的とした一連の権利を人びとに授けることによって、諸個人、諸国家、そして諸社会間の関係を調整したいと考えている。

リベラリズムの前史

リベラルの物語はどこから始まるのだろうか。「リベラリズム」という言葉とその使用法の歴史は、リベラリズムが引き出し、その後受け入れてきた数多くの思想の祖先にあたるものの歴史よりは、最近のものである。政治的な意味での「リベラル」という言葉の使用は、一九世紀の一〇年代におけるスペインにさかのぼる。イギリスではそうした政治的な意味は、その数年後に、その言葉が「寛大さ」または「豊富さ」以上のものを意味しはじめ、「急進的」「進歩的」または「改革派」の意味合いを帯びるようになるという、一八二〇年代に見出すことができる。しかしながらリベラリズムの祖先はそれよりもずっと古い。わたし達は中世の終わり以降の時期において、リベラリズムの原型を、あるいは後に十分にリベラルな信条へと成熟することになるその断片を見つけることができる。

大まかに言ってリベラリズムは、人びとを拘束し彼（女）らから頻繁に搾取を行う社会的・政治的束縛から、人びとを解放する運動として始まった。暴政的な君主、封建的な階層制と諸特権、そして高圧的な宗教的慣行が結びつくことで、ある種の抑圧がつくり出されていたが、この抑圧は徐々に維持することが難しくなってゆき、やがて着実に、そこから脱する近代世界の出現への歩みが生じてきた。したがって、リベラルな思想の台頭は、ヨーロッパ全体で起こっていた大きな社会変動と関連している。そのうちの一つは、世俗的な権力が教会の支配から逃れようとしたときに、宗教的権威の独占に挑戦がなされたことである。これに続いて、典型的にはプロテスタント宗教改革の際に、宗教自体の領域内部から、宗教上の信仰と実践の均一性に対する異議が唱えられた。より一般的には、暴政に抵抗する権利はますます声高な要求になってゆき、臣民に「一連の悪政」(1)を課す支配者を解任する人民の権利についての、ジョン・ロックの有名な主張で頂点に達した。だが、かかる主張に含意されている同意〔という考え〕は十分に展開されたものではない。政治社会の設立――かなり稀有な出来事である――という機会を除いて、それは本質的には広く民主的だといえるものではなかった。この主張は同意ではなく、異議申し立ての表明に集中していたのである。悪しき政府に対して人民が「ノー」と言う権利は、「イエス」と言う彼らの権利、つまり政府の活動を委任することで望ましい政治的実践を作りあげる権利よりもかなり先行していた。ロックはまた、暗黙の「同意」を政府の正統性の十分な指標であると認識していた。沈黙は政治的同意であると過度に楽観的な仕方で解釈され、公道などの公共財を使用したり、政府の支配権の範囲で財産《プロパティ》を賃借したりするだけで同意が成り立つと解された。

これに劣らず重要なのは、人間が自然権〔自然の権利〕をもって生まれてくるという、ロックや他の一七世紀の思想家の主張であった。「自然」と「権利」の概念はいずれも、リベラリズムの将来の歩みにとって決定的となった。なぜなら人間はいまや、生得的な属性、特に生命、自由、財産の創造と所有の能力をもつ——これらを奪えば彼らを深刻なかたちで非人間化することになろう——とみなされる、別個独立の個人として評価されはじめたのである。権利を通じてこれらの能力を守るということは、一つの重要なメッセージを伝えている。つまり、これら三つの属性は社会の形成に先行すると考えられていたため、人間の他の諸特徴よりも優先されるということを示していた。ひとたび社会が誕生すれば、政府と被治者のあいだの契約という形で、特別な保護を受ける権利が人民に与えられた。最後に、「自然の」という修飾語が権利という語に付加されることで、次のような意味づけがなされた。つまりその権利が、支配者の命による賜物、特権を有する個人間の不安定な合意、または単に伝統のおかげで維持されマンネリ化した慣習ではないことになったのである。自然権はむしろ、人間の条件にとって絶対に不可欠な要素として、端的にそこに存在していた。人民は鼻を持って生まれたのと同様に、権利を持って生まれたのである。自然権の理論は最終的に部分的な修正を受けた。アメリカ独立宣言が財産権を幸福の追求に代えたことは有名である。しかしこの理論は個人の生活への干渉を制限する強力で確立された声明として、一九世紀においてもリベラルな言説の根幹であり続けた。一九世紀の終わりになると、権利の言説は依然としてリベラリズムの言語の中心ではあったものの、ほとんどのリベラル達はもはや権利を、その社会的起源や社会的承認と無関係なものとは考えなくなった。「自然」という語が引き続き使用されている場合、それは主にこの語を「自明の」または「直観的」——かつての「自然」という語に代わって、いまや論争を退ける修辞的な力を得た概念——の同義語として採用した哲学者達によって行われた。

別の観点から、政治的成功を冷酷かつ効率的に追求する方法について考えてみよう。ニッコロ・マキアヴェッリ（一四六九—一五二七）がイタリアの君主に与えた助言について、この助言はローマ教会が唱えていた倫理的教義を覆すものと判断された。彼自身はリベラルではないにもかかわらずマキアヴェッリは、リベラルな政治哲学者アイザィア・バーリン（第六章参照）によって、宗教的な行動規範と競合する政治的行動規範を樹立することを通じて、相異なる価値体系が並存する可能性がある世界の発展を促進した人物だとみなされた。その世界観は、バーリンの主張によれば、リベラリズムが抱懐する価値多元論へと通じる数多くの道の一つを準備し、真理を独占的に保持していると主張する信念体系に挑戦するような実践を奨励したのである。(2)とはいえ現在では、マキアヴェッリは古代ローマ共和主義の主要な伝道者であり、その発展的な継承者であると考えられている。共和主義は政治権力の民衆的な基礎を提供した。そこにおける集団的自由やシティズンシップという考え方は、人びとの自己統治や、恣意的な支配の終結に関する、後のリベラルな思想との親和性を示している。

社会的、経済的、そして文化的変容

リベラリズムの台頭を刺激したもう一種類の転換があるが、それはヨーロッパ社会の都市化の拡大であった。商業的利害と資産を有する中産階級であるブルジョワジーが徐々に強力になるにつれ、商品の生産と取引を保護・促進するという要求が強まった。市場を恣意的な支配や官僚的な束縛から解放することが、個人が主張できる基本的権利に追加された。これらの権利は当初、支配エリートから勝ち取られたのだが、後には国家自体が与えるべきものへと発展していった。国家は、内部秩序と対外防衛を維持し、それらの目的のために課税するという伝統的な役割を引き受ける存在であることに加えて、取引の自由と財産の尊重を含む一連の権利の守護者として、再発明されたのである。取引の自由と財産の尊重の二つは、最終的にリベラルの思想と実践の諸相となるものに組み込まれた。こうした国家の新しい経済的役割は、「遠巻きの監視」「誠実な仲介業者」あるいは「公平な競技場」の確保、などのフレーズを通じて定義された。したがって、経済活動は国家が主導するものではなく、国家が可能にするものであった。産業界のリーダーやその他個々の起業家によって鼓舞された銀行や企業、工場などの自発的な組織は、すべて市民社会（自発的な経済的、社会的相互作用の舞台）の内部に位置しているのであるが、それらは経済活動と商業の推進力となる。そして国家はそれらの組織が比較的自由に行動することを保証することになるとされた。

財産《プロパティ》に関して、それを保護し評価すること自体がリベラルの特徴であるのか、あるいは、私有財産制度が自由や個性などの基本的なリベラルの属性を発展させるための前提条件の一つであるのかは、論争的な問題である。前者が正しいとしたら、私有財産の保護は、自分自身の善および社会全体の善に対して諸個人が、自らの労働と創造性を通じて貢献していることを認めていることになる。つまり、正当に要求できるセキュリティ、インセンティブ、報酬、そして特に、物質的資産として保障される私生活の独立が、重要であると認識されているのである。それらはすべて、秩序があり、ルールが支配する公共圏の存在を含意していた。しかしながら、それはまた競争の種を蒔いた。競争は一部のリベラル達にとっては美徳であり、他のリベラル達にとっては——それが過剰となる場合——悪徳である。そして競争は分業の重要性を肯定してきたといえよう。多くのリベラル達にとって分業は、多様な才能や勤勉さに基づいて正当化が可能になる、不平等を導くものであった。しかし、リベラリズムの批判者達が、忌まわしく不正な不平等を助長するという理由で分業を非難する一方で、フランスのリベラル左派社会学者エミール・デュルケム（一八五八―一九一七）は、分業が有益な社会的相互依存を助長するとみなしていた。(3) かくしてこれは、リベラルなイデオロギーの順応性を表す事例となっている。

しかしながら、私有財産がたとえば自己発展のような他のリベラルな属性の手段とみなされる際には、リベラルの思想と実践において財産概念の位置づけが変動するという運命——すなわちリベラルの核心に近いものであるか、それとも中心から離れているか——が見えてくるであろう。この点については第四章を参照してもらいたい。こうした変動がおこるのは、リベラルな諸価値を促進するような、同様の効果をもつ他のやり方を特定したことからの帰結だったのかもしれない。たとえば、財産の無制限な蓄積を許容するのではなく、より困窮している人びとに収入を再分配するならば、個性に関するより公正な考え方の実現につながるかもしれないのである。

大学の成長と人間の好奇心によってたきつけられた知識への渇望は、リベラリズムの種を蒔くことになるもう一つの要因であったが、それは文化と文明の領域にリベラルな気質を与えるものであった。経験の新たな境界線を探究するという営みには、知識の受動的な受容ではなく、むしろ知識の批判的な評価が伴っていた。さまざまな形の人間の表現に対する感受性、および研究または議論しているものに対する反省的な感受性の涵養は、リベラルな諸価値と結びついた。ドイツでは、教養《ビルドウング》として知られる一八、一九世紀に起こった文化と教育を促進する運動が、それらの目的のいくつかを要約していた。ヨハン・ゴットフリート・ヘルダー（一七四四―一八〇三）のようなドイツの哲学者は、教育によって自由が達成され、文化的多元性の承認が個人の発展を促進すると信じた。もう一人のドイツの哲学者ヴィルヘルム・フォン・フンボルトは、個人の継続的な成長を唱えていた。彼はミルに称賛されたが、そのミルは有名な『自由論』の冒頭において、フンボルトの壮大かつ指導的な原理、「すべては最高に多様な形で人間の陶冶を完成していくことにかかっている」を引用したのである。(4)

それらすべてを支えるのは啓蒙、すなわち、主に一七世紀と一八世紀に位置する思想運動であった。それは経験的な証拠が合理的知識の基礎であるという見解を促進し、特定の社会的文脈におかれた人間存在の科学的探究に、その芸術的表現とともに焦点を当てた思想運動である。この「人間の科学」という人間中心的な見解は、人間行為の道徳的および文化的要素に関する研究を準備するものでもあった。つまりそれは、人間の条件に関する非独断的、実験的、批判的な吟味を奨励し、伝統の制約から哲学的および社会的思考を解放したのである。政治思想に直接影響を与えた有名な啓蒙思想家として、フランスのシャルル゠ルイ・ド・スゴンダ・モンテスキュー（一六八九―一七五五）、ドイツのイマヌエル・カント（一七二四―一八〇四）、そしてスコットランドではデイヴィッド・ヒューム（一七一一―七六）とアダム・スミス（一七二三―九〇）が挙げられる。宗教的権威主義の代わりに、彼らは自由で開かれた好奇心を実践し、彼らのほとんどは自由と平等の理想を称揚した。それは社会的および政治的制度の合理的で計画的な建設と、寛容の促進に弾みをつけた。これらはすべて、人民の声は聞かれるべきだという、ますます増大する要求を伴っていた。当初、その声は裕福で教育を受けた一部の特定社会層に限られており、とりわけ、自由でしばしば辛辣な表現を許した新聞やパンフレットの文化を通じて表されていた。しかしながら、幅広く人民を代表するという考えは、リベラルの諸原理を統合するための、もう一つの礎石となっていった。

リベラリズムとデモクラシーの出会い

一九世紀後半に大衆政治が台頭してきたときにはすでに、リベラリズムがそれ自身の政治的形態を現実化するのに必要な基盤が準備されていた。すでにみてきたような諸々の信念を抱いていたリベラル達は、当然のことながら、啓蒙主義から継承された一九世紀初頭における合理的な進歩の理論に惹かれ、そこから力を得た。しかしながら彼らの運命は、イギリスの政治シーンにおける大規模な自由党の出現とも絡み合っていた。ウィッグ党として知られる政治的党派に属した貴族の地主達は、君主ではなく議会と強く連携し、進歩勢力とみなされるようになった。彼らが支持した穏健な政治改革によって徐々にではあるが、中産階級の製造業者や起業家は政治の舞台に足を踏み入れることができるようになった。後者は交易と産業を経済的束縛から解放するために闘う革新勢力であったため、土地所有貴族よりもはるかに変化を受け入れやすかった。これらの商業および都市の勢力によって支持された考えが実施されはじめた。リチャード・コブデン（一八〇四―六五）やジョン・ブライト（一八一一―八九）などの顕著な急進的改革派は、自由貿易と国際主義の福音を説きながら、彼らのあいだで際立った存在となった。自由党はこれらのグループの組み合わせとして生まれ、そして国民政党となった。

イギリスのリベラリズムが生んだ主要な政治的影響の一つとして、一八三二年と一八六七年に二つの大きな改革法を通じた選挙権の拡大要求がなされたことがある。どちらの改革もデモクラシーへの道を慎重に歩み、投票権をもつ男性世帯主の数を増やしていった。しかしながら女性の投票権獲得は二〇世紀初頭まで待たなければならず、その間、女性達は選挙権運動を通じて政治的自由と平等の実現を喧伝していた。その権利は、後に第一次世界大戦への女性の多大な貢献によってはじめて認められた。改革法はまた、宗教上の理由でそれまで投票から締め出されていた人びとに徐々に選挙権を与え、一八八四―八五年の第三次改革法は人口構成の変化を反映して選挙区をより公平かつ均等に再分配した。もう一つの政治的影響は、経済活動の規制を緩和する法律の可決であった。その結果、政府の規制と介入は依然として低いレベルながらも維持され、厳密な意味での自由放任《レッセフェール》は常に現実的というよりも神話的であったにもかかわらず、自由党、より一般的にはリベラリズムが、自由貿易と自由放任に関連づけられる結果となった。

第三の政治的影響は、単一の争点で選挙を戦ったり、二人の候補者間の個人的なコンテストとして戦ったりするのではない仕方でなされる選挙制度が、特定の政治プログラムとして一八八〇年代から導入されたことである。自由党は、票を獲得して人びとを公職に就かせることに特化した機関《マシーン》であった政党を、思想上の戦いを行うという役割を果たす政策イデオロギーの普及者へと転換させることで、政治の近代化を助けたのである。政治理論としてのリベラリズムの影響力は、一九世紀半ばから第一次世界大戦までの広範な期間にわたり何度も政権を樹立した自由党によって、大きな支えを得ていた。

一九世紀半ばになってようやく、リベラリズムとデモクラシーが、現在では不可分な関係と思われている〔かつては別々だった〕ものを統合しはじめた。それ以前のリベラル達は、デモクラシーの二つの危険な特徴だと信じていたものに対して慎重な態度をとっていた。第一に、デモクラシーは多数者の暴政に発展し、王や貴族のような少数者が行った古い専制をより新しい専制に置き換えるだけの結果に終わる可能性がある。第二に、一般の人びとのひどい教育状況を考えると、デモクラシーは凡庸な支配を永続させる可能性がある。これはリベラル達が子どもに対する義務教育の熱心な擁護者であった理由の一つである。つまり、啓蒙されたデモクラシーには、十分な情報に基づいた善い選択を行う能力が必要であるというのであった。第一章で述べたように、デモクラシーは選挙に勝ち多数者支配を行うことだけではなく、選挙と選挙のあいだにその支配がどのようになされるかという問題にも関わるというメッセージとともに、「リベラル・デモクラシー」という言葉が広まり始めたのは、それからずっと後のことである。これと同様にリベラル達は、自由の追求と個人の発見が、包摂的な政治システムの枠組みの内部で（たとえ非リベラルな声を包摂するリスクがあったとしても）行われなければならないということを、受け入れるように学んでいったのである。

諸観念の結合

しかしながら、政治的リベラリズムが歩んだ道は、リベラルな思想を構成する広範な諸論点全体のなかでは典型的なものだとは言いがたい。ここでも政治政党がイデオロギー的前衛になることはめったにないことが印象づけられる。政治思想のよりダイナミックで想像力に富んだバージョンが湧きだしていたのであり、その結果、リベラリズムは強力な知的潮流の合流地点で繁栄しはじめた。それはヒューマニスト的な企て、人間精神の解放、そして注目すべき社会的および政治的変革の力として現れたのである。人間は、基本的に合理的で、協力的であり、適切なコミュニケーションに従事し、他者を尊重すると同時に個人のイニシアチブを示すことができるとする人間本性の見方が、リベラルなイデオロギーに不可欠なものとなった。スイス出身のフランスのリベラルな政治家で著述家のバンジャマン・コンスタン（第五章を参照）は、「近代人の自由」を、意見、表現、宗教の自由を育むことで得られた個性の勝利と同一視したが、それと同時に、個人が社会集団に参加することも歓迎していた。かくして、このような合理的な協力を反映し、活気づけることができる社会制度を考案し育成しようとする流れが生まれた。最初は、アダム・スミスの

「見えざる手」などの理論が必要な役目を実際に果たしていた。その理論によれば、個人が自分の利益を追求するとき、彼（女）らは同時に社会全体の利益に貢献することになる。「私利すなわち公益」という標語は、社会の安定と繁栄を実現することのできる市民社会の働きのなかに、自然的な調和があることを示唆するものであった。

その後、そのような調和が自動的であるのか、人間の計画によって運営される必要があるのかが不明確になった。これは、リベラリズムの発展に非常に大きな影響を与えたもう一つのグループである、哲学的急進派が直面した問題だった。その主唱者である功利主義者ジェレミー・ベンサム（一七四八―一八三二）は、人類を科学的に組織化するという信念に触発されていた。彼が発見したと主張する科学的原理は、自分の快楽や効用を最大化し、苦痛を最小化したいという欲求によって、諸個人は心理的に動機づけられているというものだった。しかしもしもそれが真実ならば、「見えざる手」の教義はすでに機能していることになり、ベンサムが「最大多数の最大幸福」と呼んだものを実際に保障することになるはずである。しかしながら、この想定は必ずしも正しくないことが露見した。このプロセスを加速するために、外部環境を整備する必要があったのである。その結果、哲学的急進派は社会哲学者と改革者の仕事が、社会の構成員の幸福《ウエルビーイング》な暮らしを最適な仕方で実現するために、憲法、法典、そして刑務所さえも根本的に作り直すことにある、と考えた。

ベンサムの極端な個人主義はばらばらの個人の存在だけを認め、社会をそれ自身の属性と目的を備えた単位だとみなさなかった。したがって、彼の目的の要点は個人の行動を修正することにあり、後にリベラル達によって唱えられることになる、より綿密な道徳的ヴィジョンへの訴えは回避していた。

リベラリズムに対する功利主義の貢献は次の三つである。第一に、功利主義は社会におけるダイナミックな活動の中心《ロカス》としての個人、という見方を強調した。第二に、既存の社会状況に対する計画的で合理的な改革の必要性を唱え、人間の幸福と福祉《ウェルビーイング》がそのような改革の究極目的であると主張した。それにもかかわらず第三に、功利主義者は国家の積極的な介入を求めなかったし、特に経済的な側面においてそうだった。介入は、社会が適切な状態に整備されることで、将来の介入を最小限にするという目的に関してのみ使用が検討された。

しかしながら、他の見解も存在していた。ドイツの哲学者ゲオルク・ヴィルヘルム・フリードリヒ・ヘーゲル（一七七〇―一八三一）は、社会の福祉を利己的な動機に基づかせるだけでは、たとえ市場が機能するためにそれが不可欠であるとしても、国家が追求すべきことがらにとっては十分でないと主張した。市場競争の極端な個人主義は、たとえそれが物質的繁栄を保障するとしても、目的や連帯の感覚をもたらすことはできない。この共同体的一体性の感覚は、理性的な国家によってのみもたらされるものなのだが、この理性的な国家の役割は、社会に利他的なエートスを吹き込むことによって、個々人の利己的な諸目的のあいだに生じる緊張関係を和らげることなのであった。それは厳格な法の支配に準拠する国家によって支えられるだろう。そうして初めて社会は真に自由になるとヘーゲルは主張した。イギリスのリベラルな哲学者T・H・グリーン（第五章を参照）は、社会関係および国家においてリベラル達が追求すべきこの共通善の倫理を発展させた。

リベラリズムが包含しうる集団的視点のもう一つの側面は、一九世紀における一部のナショナリストの教義に現れた。ナショナリズムは反リベラルの傾向とよく結びつけられる。それはしばしば激しい感情的な声で表現され、個々の成員の目的よりもネイションの目的を優先するように見える。その極端なあり方において、ナショナリズムは他国や他の民族集団への攻撃性を示し、自らの「栄光の過去」にまつわる神話に夢中になり、指導者崇拝を助長する。だが、リベラルな信念からヒントを得て、リベラルな理想に鼓舞された、より穏健で、より人間味のあるナショナリズムの形態も存在していた。それらの理想のうち最も重要なのは自由であり、この理想は、こんにちますます普及している民族自決や自治の教義に移植された。自由は、個人のみならず、自らの運命を決定してもよいという承認を受けた力を獲得しようとするネイション集団や民族集団にとっても、一つの善であるとみなされていた。そうした集団の多くが外国支配または植民地支配下にあったことを考えると、自由の希求は他ならぬ他者による支配からの解放の希求となったのであり、そこには共和主義的もしくは反帝国主義的含意があった。かくして自己決定はすべてのネイションの普遍的かつ平等な権利として普及した。ナショナル・アイデンティティの涵養は、リベラルな観点からすれば、そのようなアイデンティティが重要だと考える個人に対して与えられるべき敬意の一部だったのである。リベラル・ナショナリズムの有名な唱道者は、一九世紀のイタリア統一の立役者のひとりであるジュゼッペ・マッツィーニ（一八〇五―七二）だった。マッツィーニは個人が幸福に暮らす権利を称揚したが、その人の国はこの権利の究極の保護者であると考えた。彼にとってネイションとは、郷土愛によって結合した自由で平等な人びとの結社であった。

社会的リベラリズムの勃興

ここで重要なことはリベラリズムが、集団と共同体が基本的な社会的単位であるという事実を受け入れつつあったことである。たしかに、リベラリズム内部のより個人主義的な傾向とより共同的な傾向とのあいだにはまだ緊張が存在しており、それらは一九世紀と二〇世紀において解決されず、それ以降も解決されていない。しかし社会性という炎は、数世紀前のリベラリズムの原型においてもすでに検出可能なものではあったが、いまや激しく燃えはじめていた。この新たな照明の主要な光源はリベラル・ナショナリズムではなく、リベラルな共同体主義《コミュニタリアニズム》であった。リベラルな思想の方向性に、このようなさらなる変化をもたらした要因として、いくつかの論点を数えることができる。

第一に、ベンサム主義の哲学的急進派が提唱した個人単位の効用を論じる理論の代わりに、社会的効用に関する新たな考え方が前面に出てきた。個人が自分の福利を最大化できるのならば、なぜそれが社会にも当てはまらないのかと問うリベラルが出てきた。大陸の哲学者達にも触発されるかたちで、多くのイギリスのリベラル達は、個人の権利と衝突しない限り、社会は社会的な善を追求する資格があると主張した。たしかに、長期的な将来のプロジェクトへの投資や周縁化された集団の保護などといった、個人で何とかできる範囲を超えるような社会活動の諸領域が存在していたのである。

第二に、社会進化に関する新たな理論が地歩を固めてきた。チャールズ・ダーウィンの影響は自然科学を超える広がりをみせた。社会進化論のなかには、適者生存の原理は人間のあいだでも機能するのであり、競争によるライバルの絶滅は不可避であると――アルフレッド・テニスンの忘れがたい言い回しによれば、自然は「争いによって血に染まっている」のである――あからさまに示唆することで悪名高いものもあった。だが進化論にはそこまで劇的ではないものの、長期的にはより影響力のあるもう一つの立場があり、それは人間はますます合理的で社交的になってきていると主張していた。この議論によれば、それ以前のすべての生の形式とは異なり、この進化過程は進化の軌跡それ自体を変化させ、他者と協力して自分達の将来を計画する能力を人間に与えたのである。左派寄りのリベラル達はこの理論が発するメッセージに魅了された。そこには、人間の合理性に対する、また人類全体にとって価値ある選択をすることに対する彼らの信念に訴えかけるものがあった。人間の進歩と改善が、社会生活に内在するものであることが示唆されたのである。それはまた、人間どうしの協力を、生物としての指令であるというふうに規範化した。これらの信念はすべて、あらゆる世代のリベラル達が常に求めてきたたぐいの科学的証拠によって、いまでは支持されているように思われる。

第三に、この協力的進化の原理に関連して、L・T・ホブハウスとJ・A・ホブスン――ニューリベラリズムとして知られるようになる二人の指導的な知識人である――は、社会という存在を生きた有機体になぞらえた。その類比の主な効果は、社会成員間の密接な相互関係と相互依存を強調することであり、それは、個々の成員が他者の支援なしに自力で生き残ることはできないことを示唆している。それでは、活力的で自己を押し出す個人〔という個人像〕がリベラリズムのイデオロギーにおいて中心的であったことを考えると、一体なぜ彼らの考えがリベラルの議論となるのだろうか。社会の有機体理論は、全体が個々の部分よりも重要であることを暗示することが多いし、社会的な善のために個人の善を犠牲にするという非リベラルなメッセージを発するものではなかっただろうか。この問題に関して、特にホブスンは、そこに含まれた意味を巧みに反転させていた。生命体はそのすべての部分が健康であるときにのみ健康である。したがって、個人の繁栄を培うことは、個人と社会の両者にとって共同の利益になるのだとされた。リベラルな有機体主義のこの形態は、リベラリズムにおいて個人的傾向と社会的傾向を組み合わせる最も印象的な事例を生み出したのであり、第三章で見るように、二〇世紀のリベラルなイデオロギーにとってきわめて重要な政治的ならびに制度的結果をもたらしたのである。

第四に、リベラルな改革者達の存在は、産業革命がもたらした社会的帰結に対する感受性が高まりつつあったことをはっきりと示していた。彼らは、投票権、自由権、あるいは危害からの保護などの政治的権利を授与するだけでは、もはや国民の幸福《ウエルビーイング》な暮らしを守るのに十分ではないことに気づき始めていた。政治的権利が段階的に認められてきたことで労働者階級の発言権が増し、その声は中流階級の社会改革者達の琴線に触れるものとなった。ますます多くの人びとが都市に移動するにつれて、持たざる人びとが被っていた惨めな貧困状態を正当化することはできなくなった。劣悪な住宅条件、たび重なる失業、疾病、教育の欠如のせいで、多くの人びとは新たに獲得した代表権〔自らの意見を代表させる権利〕を享受することができず、それが現実の権利ではなく名目的なものにすぎないことが証明されていた。リベラル達はこのとき、個人が完全な社会的メンバーシップとシティズンシップを達成するためには、政治的権利を社会的権利で補う必要があると主張したのである。彼らがそれを自由の観念の延長として理解したことは説得的であった。つまり自由とは、他者による暴政と危害からの自由ばかりでなく、人を衰弱させるものであるが回避可能な剝奪からの自由でもあると理解されたのである。

アメリカにおけるリベラリズム――二つの事例

アメリカでは二〇世紀初頭の革新主義《プログレッシビズム》によって、この国の改革派の勢いが増幅されたが、そこにはイギリスの左派リベラリズムとの大きな重なりがある。その支持者達は、地方政治における腐敗の除去、および行政府のデモクラシー、効率、アカウンタビリティの深化に焦点を当てた、エネルギッシュな活動を展開した。彼（女）らはまた、競争市場の成長を妨げていた資本の集中を減らし、個人の平等な機会を拡大するために、反トラスト政策を支援した。それとは別に、影響力のある週刊誌『ニュー・リパブリック』周辺の知的運動――ハーバート・クローリー（一八六九―一九三〇）、ウォルター・ワイル（一八七三―一九一九)、ウォルター・リップマン(一八八九―一九七四)などの進歩的なリベラルを輩出した――は、自由と共同体とのつながりという、アメリカのリベラルの言説においては珍しいテーマを探究していた。クローリーは「人民」全体というアメリカ的な構想に訴えかけながら、国益《ナショナル・インタレスト》に関する有機体的見解を展開したが、それはイギリスのニューリベラル達の議論と似たものであった。哲学者のジョン・デューイは、第五章で説明するように、こうした考えのいくつかを推し進めた。しかしながらクローリーの思想において、ネイションの観念にはより大きな役割が与えられている。彼は次のように書いていた。「アメリカの国民性は、特定の共通する政治的・社会的目的を実現すべきだとする企てによって創られてきた。……社会的な正しさと改善への願いは……徹底的に、包括的に、そして建設的な形で、国民的《ナショナル》なものであった(5)」。

ルイス・ハーツの古典的だが論争的な著作『アメリカ自由主義の伝統』において、彼はアメリカの生活様式が根本的にリベラルなものであり、ロックに代表されるイングランドと、その他のヨーロッパ起源の思想の輸入品であると示唆した。封建制度が存在しないことが原因となって、階級対立に妨げられないアメリカ流リベラリズムの拡大が可能になった。ハーツの理解では、「アメリカは二つの異常な結果を生み出した。すなわち、アメリカでは社会主義は無力となりリベラルな改革に効果的に挑戦することができなくなり、またそれと同時に、リベラルな改革が民主主義的資本主義の……夢想の世界のなかに閉じこめられることになった」[6]。彼は「福祉リベラル」にほとんど共感せず、クローリーのことも、どちらかといえば民主主義的資本主義の激情的な支持者としか見なかった。ハーツのアプローチには、アメリカのような大規模な社会が享受しうる多元的なイデオロギー的信念の範囲と複雑性に関する理解が欠けていた。一九世紀と二〇世紀前半のリベラル達が信じることを好んだ合意に基づく同質性とは矛盾するかたちで、一九六〇年代の公民権運動によって人種と民族の意識が噴き出し、アメリカ流リベラルの風景が一変させられるのは、ハーツの著作が出版されてからわずか一〇年足らずのことだった。

ブレーキをかけること

もちろん、リベラルな思想と実践がこのように変化する潮流を食い止めようとする流れも存在していた。その支持者の多くは、自由市場の信奉者であれリバタリアンであれ、自分達を真のリベラルだと考えていた。オーストリアの経済学者ルートヴィヒ・フォン・ミーゼス（一八八一―一九七三）にとってリベラリズムとは、私有財産制を基礎とした資本主義の理論であった。彼は、物質的平等の促進にかかわる措置に反対し、（労働者の最低賃金の設定などの）福祉の条件に関する政府の干渉すべてを、権威主義的でリベラルの精神に反するものとみなしていた。

イングランドにおいて「リベラル」という言葉は、社会主義者の全体主義と細かい点だけが異なるようなプログラムを意味するように、たいていは用いられている。アメリカでは、現在「リベラル」とは、あらゆる点で、前の世代においてリベラリズムとされたものとは正反対の、一連の思想と政治的態度を意味している。アメリカで独自に形成されたリベラルは、政府の全能性を目指すものであり、自由な企業の断固たる敵であり、政府当局による全面的な計画、つまり社会主義を支持しているのである。(7)

経済学者のF・A・ハイエク（彼については第五章で詳説する）は、ミルさえもリベラリズムから穏健な社会主義への乗り換え地点に立っていると考えた。ハイエクは、福祉国家のリベラリズムを、名前だけで実質のないリベラリズムだとみなした。市場への国家の介入は、旧いスタイルのリベラル達の忌み嫌うものであったが、それはこうした介入が、リベラリズムの原理、すなわち自由な活動、自発性、そして自己動機づけの原理を掘り崩すと信じていたからである。これとは対照的に二〇世紀半ばのドイツの経済学派であるオルドリベラル達は、強力な国家が市場秩序を積極的に確立してカルテルを防止することにより、経済的競争の条件を保証すべきだと主張した。こうした思想は戦後ドイツの社会市場経済の出現に貢献したが、リベラリズムのより広範な特徴に焦点を合わせたものではなかった。

これと同様に別の次元において、ラディカルな自由の炎を大きくしたのはリバタリアン達だった。リベラリズムのより有力な潮流から切り離された少数派の流れであるリバタリアンは、一世紀以上にわたって次のように主張してきた。すなわち、その最も純粋な形における自由だけがリベラルの伝統から抽出されるべきメッセージであり、経済生活のみならず社会および政治生活を指導するためにも採用すべきメッセージなのだと。したがって、リベラリズムと区別するために「リバタリアニズム」という言葉を採用することには一理あるが、しかしそれもまた数多くの変種を含んでいる。個々人の優れた合理性を前提とした個人主義や、活動の自由、自発的な協力、私有財産の擁護を強調することで、イギリスの哲学者ハーバート・スペンサー（一八二〇―一九〇三）のようなリバタリアンは、リベラリズムが自らの原理を放棄したのではないかという嘆きの列に加わった。

リベラリズムがますます権力を握るにつれてその立法においてますます強制的になっていったのはどうしてか。リベラリズムが……市民の行動を命令する政策をますますとってきて、その結果、市民の行動が自由なままでいる範囲を減少させているのはどうしてか。公共善と思われるものを追求する際に、リベラリズムはかつてそれを達成していた手段を転倒させるようになったのだが、この思考の混乱を説明するものは何か。(8)

本章では、リベラリズムを確固たるものとするのに役立った一連の考えを生み出した、多様な思想運動が収斂する様子を見てきた。自然や神、階層的で世襲制的な支配、または歴史の重みではなく、むしろ人間が社会的宇宙の中心に確固たる場所を占めた。知識と学習に対する批判的で懐疑的なアプローチは人間の好奇心と科学的実践と歩みを同じくして、自分自身の運命をコントロールすることを望む人びとに奉仕した。終わりなき改革と発展の概念は、ますます急速な変化――技術的、人口統計的、社会的、政治的――を経験する状況のなかで採用された。人間精神とその潜在能力の豊かさに対する評価が高まったことで、他者を大切にすることの重要性が強調され、また人間の不平等の削減がとりわけ急務であるとされた。それは私的な領域だけでなく公的領域でも寛大さ（気前の良さ）を育むことを意味していた。こうした考えのさらに上をいくのは、自由の多様な形態――個人の、市場の、あるいは共同体の――に対する情熱的なコミットメントであった。リベラル達にとって自由とは、健全な社会を可能にするとともに、人間の想像力と経験をその限界まで広げる原動力なのである。

【訳注】

＊1　ケンブリッジ大学出版局から出ている、青色表紙で統一された、政治思想史の古典叢書。

第三章　リベラリズムという重層

分離し、重なり合う歴史

リベラルを自任する人や、リベラリズムを学ぶ人は、リベラリズムが統一された思想であって、そのさまざまな要素は時間とともになめらかに発展してきたとみなす傾向がある。こうした見方は、人類の歴史をより高次で文明的な到達点へと向かう単線的な進歩の過程だとみなすような根本的な信念を、彼（女）らが抱いていることを反映している。だが、リベラリズムのたどってきた道は、けっしてそのようなものではない。進歩の理論と結びつき、多くのリベラル達も称揚してきたこの進化論的な自己イメージは、リベラリズムの歴史それ自体を示すものではないのだ。むしろリベラリズムは突発的で激しい変化をこれまでに経験してきたのであり、その結果として、核となる教義が収斂と分離を繰り返してきたのである。こうした結果となった一つの理由は、リベラリズムのさまざまな要素となる思想が、異なる時代に、異なる由来から、異なる目的を目指して生じてきたからなのだ。ゆえにリベラリズムは、複雑な、相互に作用しあうことで、常に互いの層に影響しあっているような、いくつかの異なる地層からなるイデオロギーとして、とらえるほうが有益なのである。重要なのは、地層どうしが鎖のようにしっかりと連なっているのではない、ということだ。この地層は、結合のあり方が常に変動し、堆積と消失と再現を繰り返すような、異なる層の合成物なのである。以下で示すように、いわゆるリベラリズムの伝統なるものは、少なくとも五つの異なる歴史的地層の結合体であり、それらは互いに連なっていたとしても、ぴったりと結合しあうことのない、つぎはぎだらけの結合体なのである。五つの層が一つの統一された全体へまとまらなかった理由の一つは、それぞれが互いに相いれない方向へと動かされてきたからである。他の層をきれいに継承する層がある一方で、他の層と並列的に存在する層があったり、消滅したと思ったらまた現れたりする層もある。新しく生まれた層が、リベラリズムという言葉が含み伝えてきた意味のまとまりをさらに広げたりすることもあるが、それを曖昧にしたり、隠したりすることもしばしばあるのだ。

概念史の研究者は、「非同時的なものの同時性」という言葉を好んで用いる。これは、この学派の第一人者であるラインハルト・コゼレックが提唱したものである。(1) この言葉をリベラリズムに適用すれば、リベラリズムについてのわたし達の現在の認識は、リベラリズムというイデオロギーをめぐってより以前に存在した過去の認識に対する、新たな見方を常に伴うということになる。過去にあった認識は、あたかも現在の認識としてのみ存在しうるかのごとくである。たとえば、過去のリベラル達が個人の生への干渉の不在を主張することに注力していたとしても、現在のリベラル達は、この伝統ある主張を無条件に用いることを不十分で、ときには望ましくないことだとみなすかもしれない。干渉の不在という主張は、いまでも多くのリベラリズムの議論にみられるものの、それは人間の不幸をやわらげることを考慮した、慎重な干渉をするという要求を、同時に伴うものとなっている。リベラリズムについてのこうした重層化された認識は、わたし達がこんにち経験し、考察する、リベラリズムという豊かなタペストリーを織りあげているのである。

これらの地層のどれ一つとして、リベラリズムの複雑さを単独で示すことはできない。それゆえに、リベラリズムを理解するためには、地層の相互影響関係に目をむける必要がある。相互関係の過程のなかでは、一つの主要な層（たとえば市場経済の擁護）がより厚く、より優勢となり、他の層（たとえば社会権の保障）の存在感が弱まったりするのを目にするであろう。しかし他の場合では、こうした関係性は逆転しているかもしれない。そこでは以前に優勢であったテーマは弱まり、劣勢であったテーマが主流派となる。実際、リベラリズムの一つのバリエーションが、過去のリベラリズムが示していた地層の特徴と自らのそれとが両立しないと判断して、意図的にそれらを排除したり、その価値をおとしめたりすることもある。じつにリベラル達は、わたし達と同様、自分に都合のよいストーリーをつくりあげてしまう者にもなりうるのだ。

地層間の恒常的な相互影響関係に注目すれば、リベラルであることの意味についてわたし達がとりうる解釈の範囲が明らかになるし、リベラリズムという言葉が喚起する複雑さを図示するにあたっての、便利な道具が手に入ることになる。リベラリズムの複雑さにしっかりと向きあうということは、この思想の歴史過程にある段階、流行、断絶、脇道がつくり出す、かなりわかりにくい相互関係性を、再構築せんとする試みに他ならないのである。最適化された理想のリベラリズムなどというものがあるとすれば、五つのすべての層が過去数百年のあいだに示してきたすべての特徴を、あますことなく包含することであろう。しかし、そのようなことは論理的にも、実質的にも不可能である。それは端的にいって、リベラリズムのなかのある特徴が、他の特徴と両立不可能だからである。したがって、実際に存在してきたリベラリズムは、いかなるものでも五つすべての層を示すということはなかった。それゆえにそれらが最大限できたことは、リベラリズムがもちうる、また実際にもってきた思想的な資源をだいたいにおいて含むような、準最適化された「二番目によい」リベラリズムとなることだったのである。

それでは、異なる地層はいかにして影響を与えあうのだろうか。ここで、五枚の紙の束を想像していただきたい。一枚一枚は互いの上に重ねられており、その表面にはリベラリズムがこれまでに示してきた、さまざまなメッセージが書かれている。それぞれの紙には、普通の穴と半透明の穴がさまざまな具合に空けられている。半透明な穴とは、普通の穴にパラフィン紙が貼りつけられているものだと考えればよかろう。五枚重ねたものを上から眺めると、穴の存在によって、下の紙のあるメッセージははっきりと読むことができたり、他のメッセージは不鮮明だったりするであろう。もちろん、穴の空いていない部分については、その下にあるメッセージは完全に隠されていて、読むことはできない。さらに、リベラル達は、一番下の紙以外の四枚の紙の順序を変えたりもするであろう。一番下の紙とは、最も初期にできあがったものであり、自由と権利を称揚するものである。この自由と権利というメッセージは、上に四枚の紙が重ねられても、常に読むことができる。だが、その他の下のほうの紙のメッセージをどれだけ読めるかは、その上のほうの紙の穴がどのように空けられているのかによることになる。さらに、紙の順序は時と場所によって変わるので、穴からみえるメッセージは継続的に変化する。たとえば競争についてのメッセージは、紙の層の順序によって、読めるときと読めないときがあるだろう。リベラル達が、ときにはある紙をやぶって捨て去り、より薄いバージョンのリベラリズムを作り出すこともあるのだ。

第一の層

第一の、最初期のリベラリズムの層——つまりいちばん下の紙——は、五枚の用紙のなかで、最も持続性のあるものだ。その起源は、近代デモクラシーの時代よりも以前にあり、「リベラル」という言葉が政治的、イデオロギー的に広く通用するようになった時代よりもはるか前の時代に求められる。第二章で述べたように、このリベラリズムの萌芽は、「反暴政」の運動という、まとまりを欠いてはいたが当時の人びとが強力に感じとっていた運動のなかにあった。この運動は〔君主権力を〕抑制する教義を鼓舞し、統治者達が恣意的にふるまえる力を抑え、統治者と被統治者のあいだにある距離を強調していた。この第一の層は——いまでもそうだが——、解放と制限を同時に唱えるリベラリズムであった。そこでは個人が自らを自由に表現するために、政治体の一要素とみなされるために、恐怖や寵愛に左右されずに行為するために、個人のまわりに〔自由な〕空間が設けられた。だが、それは制限された自由でもあった。なぜなら、各自の自由の条件として、他者にも同様の自由を認めることが求められたからである。ある人の自由が他の人の自由と衝突しうる以上、制限なき自由というものは誰にも認められないのであった。この点に関して、

『統治二論』の第二篇でロックが放縦（licence）と自由を区別したことが重要である。そこでは自由は「誰でもが自分の欲するところをなす」ためのものではなく、「ある人がそれに服する法の許す範囲内で、自分の身体、行為、所有物、そしてその全固有権《プロパティ》を自らが好むままに処分し、処理し、しかも、その際に、他人の恣意的な意志に服従することなく、自分自身の意志に自由に従うことにあるのである」(2)。第一の層は、法の支配に基づく国家とされる「法治国家（*Rechtsstaat*）」にかかわる、本質的に立憲主義的なリベラリズムである。たとえばフィンランドでは、この層はいまでもリベラリズムの中核をなしている。いっぽう他の多くの社会では、この層はあくまでも、その後さまざまに発展したリベラリズムの思想の基礎という位置づけにとどまっている。

この第一の層では、いくつかの権利は自然的かつ不可侵な仕方で人間に帰属する、生得的な特性だとみなされる。とはいえ権利は、しばしばひどい脅威にさらされ、容易に否定されうる特性でもある。それゆえに権利の防御こそが、政府を樹立する火急の目的となるのである。この最初期に生じたリベラリズムと権利を結びつけるという発想、つまり、人間の基礎的自由を守るためにこれらの権利に奉仕することに、政治の領域を結びつけるという発想が、個人と政府双方に制限を課す教義であったのであり、社会契約の思想がこの教義の中心を占めていたのである。制限は、具体的には物理的および法的な規制のかたちをとった。個人の空間に対して、本人の同意なしに干渉することを是認したければ、犯罪や戦争行為といった特別で決定的な理由が示されねばならなくなった。これらの原理をここにしっかりと記しておくことが重要である。なぜなら、これらが書かれた第一層のメッセージが、他のリベラリズムの層において部分的に不透明なものとされたこともあったからである。

第二の層

第一の層が、他者からの干渉を受けない個人の選好を表明する手段となることに、リベラリズムの役割があることを強調したとするならば、リベラリズムの第二の層は、この初発の役割を転換させた。個人と個人の関係および個人と政府の関係を統制することに焦点をおく代わりに、いまや自由は、積極的に他者と交わることのできる能力を意味するに至った。ここでは、物質的および精神的な自己改善が主要な目的となる。この転換はとくに、市場をリベラリズムの実践面における主要な場へと引き上げるかたちで行われた。「わたしの芝生に入るな」は「新たな地を開拓しよう」に取って代わられた。市場によって、人間が互いに能力をやり取りすることが可能になったのであり、市場は新たな領域に冒険するような意識が表れる場となったのである。自由な企業体からなる社会という世界像が誘因となり、個人は、第一義的には平等な自然権の保持者ではなく——これに該当する第一層のメッセージは部分的にぼやかされた——、才能と気力を与えられ、社会的経済的環境を変えるべく行為するという、不平等な活力をもつ単位として、定義しなおされた。一九世紀後半の東ヨーロッパ諸国においては、これらの変化は、より発展した社会に追いつくための近代化の必要性も伴っていた。

商業は明らかに前社会的なものとはいえなかったので、経済交流や移動の自由を自然権として定式化することは不可能であった。その代わりに、ロックの自然権としての所有権《プロパティ》が大きな役割を果たした。ロックの見解は、例外的といえるほど力強いものであった。所有を社会的ないし法的な同意の産物ではなく、生得的な権利とみなすことで、ロックは、カナダの政治理論家C・B・マクファースンが「所有的個人主義」と名づけた信念(3)に息吹を与えた。これは私的な個人による財の果てなき蓄積を指した言葉である。一九世紀のあいだ、所有と蓄財への権利は——ロックが展望したものよりもはるかに広範に——その地位が高められ、社会と国家の繁栄の必要条件として再公式化された。こうしてリベラリズムの主流派は、個人、所有、富のつながりを強調したのである。

リベラリズムの第二層によれば、起業家的な進取精神の持ち主や、製造業者や、金融資本家達が従事する制限なき経済的・商業的活動によって、新たに産業化された労働者階級の労苦と労働が方向づけられることになった。生産力と消費量が増加すると、富は刺激され、知識は社会全体へと広まり、自らを助くる者達の美徳が称賛されることになる。個人主義、誠実な仕事、発明の才が結びつくなら、ジョン・ブライトの言葉を借りれば、「国民の快適さ、幸福、満足が向上する」(4)のであった。こうした考え方のすべてを使って、現実の貿易活動や商業活動を記述できるかどうかという問いは、ここではあまり重要ではない。なぜなら、完全純粋な経済の交換と拡大というレトリックは、リベラリズムの教義と固く結びついていくものであり、後に自由主義的帝国主義として知られる思想を惹起させるものでもあった〔という事実が重要だ〕からである。この特定のバージョンにおいて、リベラル達は巧妙にも外国市場の植民地化という企てに、次のような意味づけを付け加えていた。つまりこれは、彼らがもつ富を生み出す力や、理性的で個人主義的な価値観を、地球全体に広げるという「文明化」の使命と目的を帯びる企てだとされたのである。彼らはまた、契約というリベラリズムの観念を——よく知られているように以前は政治社会全体の形成を下支えするために用いられたこの観念を——、市場における交換の諸活動に規制を与えつつ、こうした諸活動を保証するものとして、再び活性化させたりもした。

国家を、民間の起業心と社会的経済的交流の保証人として——だがそれ以外の面では社会秩序の維持と防衛にその機能は限られるものとして——再解釈したことから生じる一つムの偏好は、いまや自由貿易についてのメッセージと結びつけられたが、そのメッセージ志に関する記述は、〔第二の用紙でも〕再び記された。制限された政府に対するリベラリズで、自由の保護者としての国家の優先度を再考したのである。第一の用紙にあった自由意た。要するに、このリベラリズムの第二の用紙は、個人の自由という思想を維持する一方よる反目を脇へ追いやり、永遠平和の絆のなかにわたし達を統一せしめるもの」[5]とみなし原理として道徳世界で作用すべきもの、つまり、人びとを結びつけ、人種や信条、言語によって示された。コブデンは自由貿易という思想を、「宇宙で作用する重力原理と同様のみならず、倫理的なものでもあった。リベラルな熱意は、とくにリチャード・コブデンにとはいえこうした活動に従事する者の多くにとっては、自由貿易は経済合理的であるのいうことだ。第二層におけるリベラルな国家は、立法によって経済の諸利益を精力的に守ることが期待された。その実践のために、軍事力が実際に活用されたこともあった。てておくべきは、中立的国家が可能であったとしても、それが弱い国家である必要はないとという見方である。この中立性の問題については第六章で再び触れよう。ここで頭に入れそれらが他者に危害を加えない限りは、指導はおろか意見を述べることも避けるべきだ、あった。つまり、リベラルな国家とその政府は、個人の選択やライフスタイルについて、の重要な帰結は、この国家観がリベラリズムの中立性という神話の先駆けとなったことで

は第二の用紙上に太字ではっきりと書かれている。政府の仕事はもはや恣意的な圧制を防ぐことのみにあるのではなく、経済的諸関係の円滑な運行を妨げるものを排することにもあるとされた（図3参照）。またリベラリズムの第二層は、競争的で潜在的には攻撃的であり、満たされることのない存在という、人間本性についての新しい見方を打ち出した。このような見方に基づく人間が、それでも「永遠平和」をもたらしうるなどと信じるのは、自己欺瞞にあふれる大妙技であった。

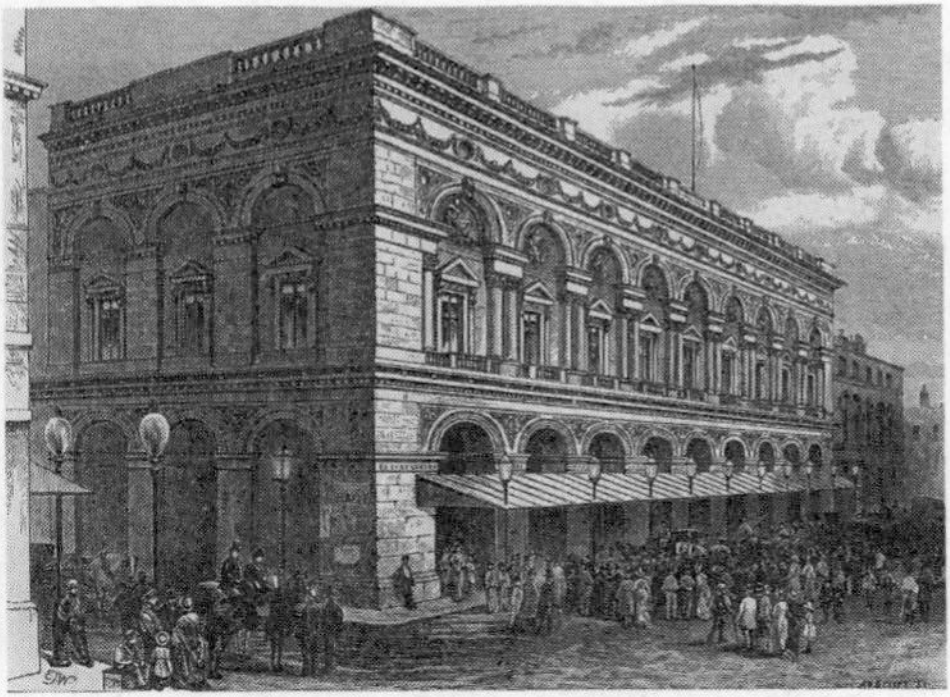

図3　19世紀後半、イングランド、マンチェスターのフリー・トレード・ホール。マンチェスターは自由貿易の中心的拠点であり、その教義はしばしば「マンチェスター学派」と呼ばれた。

第三の層

リベラリズムの第三の層は、概念的にもイデオロギー的にも、リベラリズムの意味論におけるきわめて重要な飛躍を伴うものであった。それは、自由貿易に反目するものではないが、リベラリズムの優先順位を再び変化させ、強欲さを暗示するのではなく、美徳へと向かうという分岐点を漠然と示すものであったのだ。ジョン・スチュアート・ミルがその最も強力な提唱者であった、人間の潜在能力の解放や個性の発展の促進という考え方が、言論と教育の自由への訴えを通して称揚された。言論と教育の自由は、価値ある人間の自己表現と相互関係のために不可欠の道だとされたのである。ミルは、個人をとりまく私的空間を擁護することにきわめて長けていた一方で、個人がその私的空間の内と外で何をするのかということにも同様に注意を払った――この問題は、リベラリズムの第一層では前面に押し出されるものではなかった。だが、いまや何もしないこと、ましてや退化することは、受け入れられる選択肢ではなくなった――ただしこれらは、強制や立法ではなく、軽蔑の言葉のみを使って妨げるべきものとされた。いまやリベラリズムは、個人の成熟と進歩の促進を引き受けるに至ったのである。そこでは個人の意志は、ある時点で固定的にとらえられるものではなく、一定の期間を通じて連続的にはたらき、発展するものだとされた。この点にこそ、ミルの決定的に重要な言葉である「個性の自由な発展」がもつ真の意義がある。つまり、そこでは自由に新たな実質が与えられるような、社会的、政治的、文化的な環境の創造が目指されたのである。個人主義が、社会を構成する互いに分離した部分としての人格の静的な独自性を表す言明であったのに対して、〔ミルが唱えた〕個性は、人間であることの中心にある動的プロセスの発見を意味した。第一層でみられた立憲的な固定性の上に、時間的な発展と変化の流れ〔の観念〕が重ねられたのである。ここでいう〈時間的なもの〉とは、〔以前の〕リベラリズムが示してきたような、歴史のなかで生じる明らかな変化を指すものではない。それは、時間の概念がリベラリズムの思想に注入されたことを意味しているのである。

このことを、次のように言い換えることができる。リベラリズムの第一層は、個人の空間の安全地帯を確保することに注力していた。それはフランス語でいうところの「レッセフェール」の思想として知られる「わたしを放っておいて好きにやらせてくれ」式のリベラリズムであった――この点は第二層にも受け継がれることとなる。これに対して、第三のリベラリズムの層は、人間の能力の拡充を展望する「わたしを成長させてくれ」式のリベラリズムであった。それは時間志向的であるが、特定の目的は志向しない可変的なリベラリズムであり、人間の成長を自律と独立の漸進的なプロセスとしてとらえる。この第三層は、リベラリズムの歴史の新しい段階を示すものであった。第三の用紙は、第二の用紙に見られた個人の競争性への過度の注目をひるがえし、リベラリズムの関心対象を、商業的交換の諸関係から自己表現能力への投資に移行させた。個人の多様性と奇特さが、社会の進歩に必要な第一のエンジンであるとされた。しかしその一方で、独立性をもち、だいたいにおいて他からの干渉が不在であるような個人の活動を守るために、立憲的取り決めがしっかりと確立されたのだという、第一の用紙のメッセージは変わることなく透けて輝いていた。

ここで再度強調しておくべきは、これらの異なる層のあいだには、時系列に沿った明確な順序は存在しないということである。たとえばジョン・ミルトンは、出版検閲に反対するために注意深く書かれた『アレオパジティカ』（一六四四年）において、リベラリズムという言葉が存在する以前に存在した、リベラルな思想を次のように示していた。「あらゆる自由にまさって、知り、発表し、良心に従って論じる自由をわたしに与えよ」(6)。ミルトンを衝き動かしていたのは、定められた境界内の移動の自由でも、内なる意志にしたがう自由でもなく、人間精神の活力と活気を発揮する自由であった。そこにみられた制限の不在は、第三層の初期の一例であった。それは物理的空間のみならず、人間の発展のために必要な、精神や知性の活動の余地を讃えるものであった。

第四の層

第四の層は、リベラリズムを表す家族的類似性をもったイデオロギー群の内部に引き続き生じた、注目すべき革命の結果であった。その第一の、そして主要な特徴は、人びとのあいだにある空間的な関係性の問い直しにあった。第一層にあった個人主義、ミルも断固擁護した私的領域の不可侵性はかなりの程度おさえられ、いまや半透明のメッセージとなった。社会空間は、個人の周りに防護障壁を築くことで個人どうしが分かたれるところとしてではなく、むしろ個人どうしが、市場での関係性という物質的次元にとどまらない次元で織り合わされるところとして考えられた。このことはとくに、ニューリベラリズムとして知られる、一九世紀後半から二〇世紀前半にかけての知的・政治的運動において顕著に見られた。ニューリベラリズムは、社会成員どうしの緊密な相互依存関係を強調した。つまり各成員が、他者からの支援、援助なくしては生きることのできない存在であることが提唱され、またそうした支援が、人を窒息させたり管理したりするものではなく、個性と人間の自由にとって本質的に重要なものであることが強調されたのである。

第二に、同じくらいに重要な特徴としてこの層のリベラリズムは、私的領域への不当な干渉から人びと――個人にせよ社会全体にせよ――を防御するという以前のリベラリズムの目標を共有する一方で、防御の網をより広範な対象へと投げかけた。第三層で提唱され、特定の意味づけが与えられた個性の開花を妨害する、新たな脅威が発見されたが、この脅威もまたその防御の対象となったのである。いまや人間の発展への障害物は、単に不適切な物理的・法的干渉や世論の圧力にとどまるものではなくなった。人間の潜在能力を発揮することへの脅威が、それ以外にも存在すると新たにみなされるに至ったのであり、たとえば「欠乏、疾病、無知、不潔、怠惰」という五つの巨人——二〇世紀中葉のイギリスにおけるリベラルな社会改革者ウィリアム・ベヴァリッジ（一八七九—一九六三）の言葉である(7)——が撲滅・緩和の対象となった。こうした障害物の除去は、「自由への強制」という仕方で自己実現の型を個人に押し付けるという、ある種の非リベラルな積極的自由を必然的に伴うものではなかった。むしろそれは、積極的国家活動を通じて自己発展を促すという第三層の構想を追求する自由を促進することであった。したがって第三の特徴として、民主的に統制された国家が、この巨大な仕事を支援するために求められた。なぜなら、仕事や健康の確保といった人間の重要なニーズのなかには、個人の力だけで頑張ってもどうしようもないものが多く含まれているとみなされたからである。

第四に——これはニューリベラリズムに特徴的なことだが——社会は、合理的な目標の共有に基づく、調和可能な統一的実在ととらえられた。階級的、地理的、さらには宗教的な分断があれば、それは社会にとって、良くて重要でないこと、悪くて致命的なことだとされた。とはいえリベラリズムを実践する人達はこの尊い考えをしばしば忘れていたし、また概して、あらゆる領域にわたってジェンダーの平等を受け入れることができなかった。個人的なものと社会的なものの統一について、リベラリズムがここまで許容できるという境界線を、イギリスにおけるこの第四の層は、他のヨーロッパのリベラリズムのどこよりも押し広げていた。二〇世紀全体を通じてイギリスのニューリベラリズムが達成した主たるものとして、福祉国家のイデオロギー的な基礎を構築したことがある。つまり福祉国家は、ここでは完全に、また議論の余地なく、リベラリズムの創造物だったといえるのである。一九四二年の有名な「ベヴァリッジ報告書」は、社会保険と児童手当で貧困を緩和させるという戦後再建計画であったが、この文書は福祉国家の到来をしるす画期的な事件となった。典型的なリベラリズムの調子で、報告書は私的な努力と公的な援助を結びつけた。国家は、公共の善と公共の徳を担う、唯一のではないが主要なエージェントへと転換した。これと同様の傾向は、共同体主義的かつ国家主義的なリベラリズムを説いた、一九世紀末期のフランスの連帯主義（*solidarisme*）にも見出せる。

最後に重要な点は、第二章でも述べたことだが、この第四層の最も新しい点が、その有機体的社会の構想にあったことである。今から一世紀前の左派リベラル達は、有機体のアナロジーが非民主的であるというイメージを打ち破っていたのである。とりわけホブハウスは、闘争を中心に構想されるタイプの社会ダーウィニズムを拒否し、社会進化は合理性と社会性の増大を表すものであり、知的な協同関係が出現するプロセスを形成するものであると主張していた。彼らにとって有機体のアナロジーは、寛大な国家によって個人の権利が促進されることを教えてくれるものであった。個人の自由の領域は、個人とともに集合的な生の健全性にも関連するものだとされたのである。

この第四の用紙は、第三の用紙で個人の成長と進歩として示された〈時間的なもの〉の観念を受けつぐと同時に、これを社会進化という、より広範囲の問題へとつなげた。それは、第一の用紙の中心にあった個人の重要性を認識しつつ、個人と個人のあいだには互いに相通じあうことのできない障壁が存在するという見方に対しては、いかなるものでも反対していたが、その代わりに、相互の助け合いだけが個人の幸福《ウエルビーイング》な暮らしを可能にするような場合では、共同体の精神に基づく私的領域への侵入を喜んで認めていたのである。それゆえに、人生のなかで常に襲いかかるさまざまな困難に苦しんでいる個人を支援するために、富の共通のプールを確保するという目的で、たとえば健康や失業に対する種々の社会保険が強制的に施行された（図4参照）。第四の用紙は、権利が前社会的で自然的なものであるという見方を弱め、権利を社会的メンバーシップの産物だとみなした——権利は、社会の構成要素（つまり人間）に対して、社会が提供すべき贈り物なのである。また人間の福祉と繁栄に中心的重要性が与えられたために、第一の用紙にあった自由の突出した重要性は、微妙に中心から外れるにいたった。その一方で〔第四の用紙をつくった〕左派リベラル達によって、第二の用紙——人間の関係性を何よりも市場での個々人の交換とみなし

図4　1911年前後のリベラルな政府による社会改革は、国家による一定の健康保険と失業保険を規定するものであり、後の福祉国家の土台となった。

た用紙――は、事実上リベラリズムの束から取り去られた。大陸のリベラリズムでは第二の用紙の存在感は保たれ続けたが、イギリスのリベラリズムの伝統に第二の用紙が再び挿入されるのは、それからおよそ半世紀たってのことであった。第四の用紙のリベラル達は、彼らのいう「マンチェスター学派」を否定する傾向にあった。この学派は、利己的な経済人という想定にとらわれ、恵まれない者を無視し、富の創造過程において社会が果たす役割を見落としているとされたのである。第四層のリベラル達もまた自由貿易を肯定したけれども、それは金融的・産業的・軍事的な独占の支配から解放された貿易でなければならなかった。こうした独占は、制限なき私的な事業欲への過度の賛美から生じたものであり、いまや抑圧的な帝国主義へと転化したとみなされたのである。

第五の層

リベラリズムの第五の層――他の層よりもはるかに現代的なものである――は、第四層が促進した統一的な社会観をもたなかった。それは社会学の知見における変化や、文化についての認識の深化から、リベラリズムの思想が大いに影響を受けたことを示していた。二〇世紀初頭以降のリベラル達のあいだには、社会全体に権力が分散しているとの認識がみられた。その際、権力は――階級対立の場合のように――集団どうしを対立させるものであるがゆえに克服されるべきものだという認識から、権力は歓迎すべきものだという認識への転換があったのである。社会と政治を分析する人びとは、社会が多くの利害集団から成り立っており、どの集団も権力の独占——たとえばマックス・ウェーバーらドイツのリベラル達が論じた国家による権力の独占——を実現することはできないという発見に至った。この拡散した新しいタイプの権力は、法的・立憲的な権力分立を、補完・強化するものであった。リベラルな社会は、個人間のみならず集団間の相互作用をも考慮すべきだとする多元主義（多元論）の視点が提起され、国家が果たす中央集権的な役割は相対化された。リベラリズムの政治もまた、さまざまな社会集団が影響力を行使しうる地位を求めて競争しあう市場であり、経済的な市場とは異なる、ある種の自由市場として理解できるという、新たな概念が与えられた。

二〇世紀後半になると、いわゆる「アイデンティティ・ポリティクス」が重視されるようになった。するといまやリベラル達にとって、公共的な領域で商業的利益や金融的利益、あるいは自らの地域的利益を実現せんとして競争する集団の多元性について考察するだけでは、もはや十分ではないことになる。人間の多様性を描きだす、さらに恒久的な地図が登場したのであり、そのなかで、人種や生物学といった問題含みの古いカテゴリーは、部分的ではあるが、新たなカテゴリーに取って代えられたのである。ジェンダー、エスニシティ、宗教、セクシュアリティに基づく新たなカテゴリーが、もはや否定・排除・無視されることなく、徐々にではあるがリベラルな意識の中心を占めるようになった。たとえばインドのリベラル達は、公平な政治参加を否定され続けていたマイノリティの保護を優先するようになった。オランダでは、リベラルな目的を達成するために、国家を利用することよりも、異なるライフスタイルを保護することが優先されるようになった。こうした——文化的、心理的、社会的なアイデンティティからなる——複合的なアイデンティティがあるということは、共同生活を表す例外的な特徴ではなく、通常の特徴なのだという認識が、ますます多くのリベラル達に共有されるようになった。これらは、自らが大切にすると公言するリベラル達の観念体系の中心に加えられたのである。

リベラルのディレンマ

この第五層は、ある種の倫理的、イデオロギー的な窮地が散在するという、リベラル達を困難におとしめる領域を構成している。互いに相いれない他の層の諸部分を混ぜようとしているため、混乱と不確定がこの層の顕著な特徴となっている。集団の多様性や独自性がリベラリズムの語彙に含められたことで、これまでの流れに逆らう潮流である特殊主義がリベラリズムに流れ込み、そのことによって以前のリベラリズムが自任した——ただし議論の余地はある――普遍性への支持が、部分的に侵食されたのである。もちろん、集団の独自性を強調する現代の主張を、ミルによる個人の、少なくとも一部の個人の、個性の独自性の強調が発展したものとみなすことは可能である。だがミルにおいて、あの完全に魅力的な多様性の擁護は、文化の多様性を享受することではなく、その生の洗練が社会生活を豊かなものにしてくれる、奇特な個人を守ることに主眼があったのである。第五の層のリベラル達は、この点でより控えめである。社会の多様性は大体において歓迎すべきものとする一方で、なかには警戒すべき多様性もあることに、彼（女）達は気づいている。

とりわけ、この新たな層は、こんにちのリベラリズムに典型的な、分裂的で混沌とした特徴を表している。こんにち注目を集めている論争に対してリベラル達が示している困惑は、こうした特徴の現れに他ならない。こうした困惑をもたらしている論争の主題には、たとえばムスリム女性のスカーフ（それは宗教的選択の自由なのか、社会からの強制なのか）や、宗教上の聖人の戯画化（必要なのは表現の自由なのか、宗教にある根本的な傷つきやすさへの配慮なのか）や、多くの社会に強く残る女性の不平等な地位（それは女性の抑圧なのか、深くしみこんだ文化コードなのか）や、同性婚の導入（それはライフスタイルの自由なのか、宗教的で伝統的な信条への侮辱なのか）などがある。リベラルな特殊主義とリベラルな普遍主義とのあいだにあるこうした緊張は、一九一四年以前のニューリベラル達には、理解不能なものだろう。ニューリベラル達は、調和的かつ有機的に統一されたリベラルな社会への信仰告白をはばからなかったのである。

ゆえに以前の用紙に書かれたことがらは、最上部の新たな用紙に書かれたこととの不調和を生み始めた。個人の権利と集団の権利が両立するのは、集団が一つしかない場合――つまり集団が社会全体である場合――に限ってのことであった。つまり第四の層が示したように、部分と全体が調和するという考えが社会全体に満たされている限りで、両者は両立するのであった。だが、多くの異なる集団からなる社会で、ある集団のアイデンティティが他の集団のそれと衝突した場合については、いかに考えればよいのだろうか。あるいは、リベラル達が非リベラル的だとみなす、たとえば家父長制や宗教的信条に基づく差別的慣行が、そうした集団の内部で見られた場合については、どうだろうか。古い最初の層における私的領域の権利を集団の権利にまで拡張し、自分達の領域内部なら集団にはどんなことでもしてよい資格が与えられているとみなすべきなのだろうか。もっぱら多様性と集団の自己決定を理由にして、リベラル達は集団内の非リベラル的な慣行に対して寛容であるべきなのだろうか。あるいは、ある集団――たとえば先住民やアボリジニー――が、犠牲者の言説を用いつつ、過去から現在にかけて不当に無視されてきたという主張に訴えて、自分達の声により多くの重みが与えられるよう特別な配慮の要求をしてきた場合、適切な対応とはいかなるものだろうか。

さらに、もしも二つの集団が、リベラル達の編んだこの多層的なタペストリーから相異なるリベラリズムの原理を選りすぐるとしたら、どのようなことになるだろうか。プロライフの中絶反対派が、生命への権利をすべての段階の胎児にも広げたらどうだろうか。反対に、プロチョイス派が、自由と自己決定の原理――ともに第一層に見出される――や、(一九七三年の最高裁ロー対ウェイド判決のように)第三層が宣言したプライバシーの原理に依拠して、女性が自らの身体に起こることについて自己決定できる権利を主張した場合はどうだろうか。これらのことがらについて決定したり結論を出したりすることが不可能であるせいで、リベラリズムの研究者が認識しているように、いまやリベラリズムは、他のイデオロギーと同等の地位にまで格下げされてしまった。すなわち、主要な社会的・政治的課題が互いに衝突し、対処が困難であるように見えるとき、リベラリズムの諸概念をどのように駆使しても、もはや決定的で恒久的な解決を提示できないのである。

リベラリズムは、国家とその成員の関係を説明する理論として発展した。だが、公と私、政府と非政府、教養のある言説と電子媒体にあふれる大衆の侮辱的言説、といった対比のあいだに引かれていた境界がますます曖昧となり、同時に、「自己に引きこもりがち《プライヴェート》」でセグメント化され、自己の周りに境界線を引くことで、自らの排他性をむしろ主張するような公衆が出現したことによって、リベラリズムは自らの理論的想定、つまり個性を促進し、危害を予防すべきであるとする想定をめぐって、深刻な問題に直面している。確固とした答えをはじめから排除するような原理に基づくイデオロギーが存在しているということは、わたし達の知性がある程度の段階に達し、何が道理に適っているのかに関してある種の認識に至ったことを、反映しているのかもしれない。だが、そのようなイデオロギーは、他のほとんどのイデオロギーが怪しくも誇示してきた、はっきりした結論というものを与えてはくれない。もっと自信をもっていたころは、リベラリズムもそうした結論を示せていたのだが。

デモクラシーにおけるリベラルの欠陥?

リベラリズムは何度にもわたって、自らを刷新する力があることを誇示してきたが、「リベラリズム」という家族名のもとにまとめられた伝統に含まれる豊かさと多様性は、しばしば妥協を強いられてきた。その潜在的な豊かさはいまだに残っているものの、概念化されたり実践に移されたりする際に、その力が最大限発揮されているとはとてもいえない。第一層の多くの部分が「自由民主主義」という用語へと同化した。だが、そのうちの「自由」という接頭辞は、最終的には消えてなくなった。デモクラシーの実践は、平等主義的で参加と包摂を志向するものだとおおむね理解された。多くの国家が立憲的制度を整えたとき、デモクラシーもその一部だとされた。しかし、すべての人に声を与えることは、それがリベラルな声であることを必ずしも意味しない。フランス革命、ボリシェヴィキ革命はいうに及ばず、いわゆる「アラブの春」のようなより小規模な革命に至るまで、完全にリベラルな革命というものを、わたし達はまだ目撃したことがないのだ。二〇世紀後半にヨーロッパが民主化されたとき、そこでこだましたのは民主的なヨーロッパであって、リベラルなヨーロッパではなかった。こんにちの人権の要求にしても、第一層でみられた生命、自由、尊厳についての基礎的権利の要求に焦点をあてており、しばしば社会的権利、文化的権利は犠牲にされている。これらの基礎的権利だけを満たせばリベラリズムとしては十分だ、などと思い込むことが危険なのであるが、問題はそれだけではない。政治的なレトリックの次元で、これらの基礎的権利がリベラリズムそのものから完全に切り離されてしまったのである。たとえば、ある特定の自由や立憲的実践を非「西洋」社会に押し付けたいという願望をもつ保守主義者達は、「たくましいリベラリズム(muscular liberalism)」[8]という不快な言葉を誇示したが、こうした人びとは、リベラリズムの第三や第四の層にはほとんど関心を示してこなかったのだ。

そのうえで、リベラリズムがしばしば、基礎的で立憲的な実践と権利の問題へと切り詰められてきたことそのものは、必ずしも驚くべきことではない。自己発展を強調した人格主義的な第三の層は、社会的コンテクストによって人間の行為は牽引されるとみなす文化論的・認識論的な見解の多くと、対立してきたからである。たとえば、社会生活をヘゲモニー的な言説実践に埋め込まれたものとみなす立場、つまり、政治や社会についての支配的な言語様式が人間の思考や行為をコントロールしているとしながら、社会生活をそうしたコントロールに埋め込まれた場だとみなす立場を取る、ポスト構造主義者やポストマルクス主義者によって、第三層は理論的には時代遅れだと認識されてしまう。これらの理論においては、個人の主体性に価値をおくリベラル達の見方は、脇に追いやられる。だがそれ以上に重要なのは、グローバルな視点が勃興してくるにつれて第三層の願いが、十分な食糧もシェルターもなく、暴力からも守られていないような、基礎的な権利が奪われた地球上の多くの人びとにとっては、達成不可能なぜいたくなのだとみなされていることである。結局、第三層の言葉は、きわめて少数の人にしか届かないのだ。

現代社会がかつてなく分裂していること、また同時に、オービスや、インターネット上の消費パターンのトラッキング、電子タグなどによって、社会の構成員が合法的な仕方で監視下におかれていることが、詳細な調査によって明らかになってきている。これによって、第四層でみられた、国家の親切心に由来する規制や、調和のある社会といった旧き蕎薔薇色の想定は、消え去ってしまった。社会はより良いものへと進化するという理論も、時代遅れのものとなった。すべての人に福祉と幸福な暮らし《ウエルビーイング》を提供するなら、そのコストが天文学的なものになることがわかり、また次から次へと押し寄せる人間の嫉妬心と猜疑心によって、あるいはさまざまな（不可避・可避を問わない）大災害によって、そんな福祉の供給はこれ以上維持できないものとなった。たしかに、広い意味での人道主義的なリベラル・イデオロギーに基づく、〔福祉についての〕リベラルの特徴を示すケースは、細々とではあるがまだ存在する。だが、フランシス・フクヤマによる一九九〇年代の主張、すなわちリベラル・デモクラシーがいまや勝利したとの主張は、今からおよそ一〇年前〔二〇〇五年〕に「イラクに自由とデモクラシーを」もたらすとしたジョージ・W・ブッシュの約束[9]と同じくらい、空虚なものに聞こえる。その結果、第七章で論じるように、「ネオリベラリズム」と不幸にも名づけられたイデオロギーは、第三と第四のリベラリズムの用紙を破棄し、第二の用紙の自由貿易の部分を再び自らの用紙に書きこんだ。これによって、ネオリベラリズムは、リベラリズムの遺産であったところの複雑さや多様さ、倫理の力といったものとは何ら関係をもたない、非常に痩せ細ったイデオロギーの束となってしまったのである。

第四章　リベラリズムの形態学

イデオロギーを分かつ透過性のある境界

リベラリズムの分析は、どのようなものであろうとその構造をみることなしには不完全なものにとどまるだろう。構造をみることで、リベラリズムの内部にある持続的な特徴や変化しやすい特徴が分かり、そのことによって〔特定の〕リベラリズムが、リベラリズムという確固としたイデオロギーの家族の一員であることがはっきりとする。このように構造に目を向ける本章は、前章で示されたアプローチを補完するものである。ある一本の木を長期間観察することで、その成長、変化、病気を見出すことができる。それと並んで、その木が継続的にもつ生化学的特徴や形態を研究することもできる。双方は同じ植物の異なる側面について教えてくれる。リベラリズムへの視角をこのように二重にすることで、そこに含まれるものについてのより完全な理解が可能になるのだ。

形態学アプローチは、あるイデオロギーの構造を詳細に調べるものである。[1] それは当該イデオロギーが行う議論の典型的なパターンを見出すことを可能にしてくれる。とりわけこのアプローチは、対象となるイデオロギーの細目と、そのミクロな構成要素を調べ、そこで用いられる政治的概念の配置関係を突き止める。リベラリズムを含めあらゆるイデオロギーは、自らが促進・擁護する、特定の中核的な観念や概念の魅力に訴える。しかしその際、各々のイデオロギーは、さまざまな観念や概念を、そのイデオロギーとしての特徴が明確に分かるような、相異なるパターンで配置するのである。前章では、リベラリズムを構成する各層が、なめらかに連続しているのではなく、互いにまったくつながっていないか、つぎはぎにしかつながっていないものだと論じていたとすれば、形態学アプローチは、リベラリズムをはっきりとリベラリズムと認識できるようにする諸概念の集合形態に、どのような特徴があるのかを探究するものだといえる。それは、リベラリズムがさまざまに異なる特徴をもつことが歴史的・経験的に観察できたとしても、なおもそれらはみな、重要な面では連続した、広い意味でのリベラリズムという家族の構成要素なのだという主張に説得力を与えるものである。そもそも、さまざまな政治的思考に同じ「リベラル」というラベルを与えること自体が、ある共通の重なり合う特徴の存在を示している。ただし、第七章で論じる場合のように、リベラルという言葉を用いながらも、その意味を意図的にゆがめていたりする場合には、そのようにはいえないのだが。リベラリズムに共通の内容があれば、すべての種類のリベラルな思考はその内容を示すだろうし、逆にその内容をもたないものは、それがどのようにラベルづけされようとも、「リベラリズム」と規定されるイデオロギーには属さないものなのだ。

ここにおいてわたし達は、第一章で示した議論をさらに発展することができる。リベラリズムの形態学的な連続性をいう場合でも、リベラリズムという家族の内部に、多様な概念の配置パターンや脱論争化の様式があることが考慮されている。こうした多様性によって、もろもろのリベラリズム内部に顕著な柔軟性が許容されることになり、またその結果として、リベラリズム全体に持続性と適応性がもたらされる。そうした柔軟性は、形態学アプローチが明らかにした二つの特徴によって可能となっている。第一に、一つのイデオロギーのもとに集った概念のあいだに空間的な配置が成立することによって、多様な結合や変異が生まれている。イデオロギーは、その中心的な観念が互いに強化しあうよう、そうした諸観念を互いに近接するように配置する。たとえば一九世紀中盤以後のリベラリズムの思想においては、自由、進歩、デモクラシーが密接に結びつけられていたが、そのことによって、これらのどの一つの観念にしても、他の観念なしに論じることが困難であることが確証されたのである。同時に同じイデオロギー内部のさまざまなバリエーションは、自らが好む概念と、自ら推し進める見方にとって有害とみなした概念のあいだに距離をつくった。たとえば多くの場合においてリベラル達は、経済的自由と人間の福祉を互いに分離して考えるべきものとしてきたが、それは特に第四層のリベラリズムにあてはまるし、また（それとは対照的な帰結を伴う仕方で）ネオリベラリズムやリバタリアニズムといった、リベラリズムにとってイデオロギー上のライバルとなる分家達にもあてはまるのである。

第二に、一つのイデオロギーを形成する観念の構成要素間で重要度の置かれ方が変化することで、そのなかの一つの概念が、他の概念と比して多くの重要性が与えられることになる。たとえば、すべてのリベラリズムは、個人の選択と自由をリベラリズムの中心的特徴として非常に重視するのだが、そのなかには、人間の社会性と相互責任を比較的重視したいと願うバージョンのリベラリズムもあれば、正統性と同意にもとづく立憲的秩序こそがリベラリズムの目標だと主張するバージョンもあるのである。したがって、任意のリベラルな思考が二つあった場合に、それらは互いに似た観念群をもちうる一方で、そうした観念のあいだにある優先度や重要性の順序をめぐって、カードの切り直しが行われうるのだ。

以上のように議論したからといって、リベラリズムが歴史的に多様であったという証拠を提示してきたことや、異なるリベラリズムが存在することを不完全ながらも明らかにしてきたことが、覆されるわけではない。ただ、政治的言説の解読に必要な、一つの鍵が与えられるのである。政治をめぐる議論のなかで推し進められる世界観や意味が、どの特定のイデオロギー集団に属するものなのかを特定することが、これらの議論を通してさらに容易になる。もちろん、リベラルなパターンとそうでないパターンの境界を架橋するような、混合的でその内容の一部を切り詰めた言説の例も存在する。リベラル達は、保守主義や社会主義、アナキズムといった近接する他の広範なイデオロギーの家族と、自らの思想のいくつかの要素——必ずしも同じではない要素——を共有するであろう。たとえば保守主義者達もリベラル達も、社会の安定性に価値をおく。社会主義者達はリベラル達と同様に、社会の構成員の生の可能性《ライフチャンス》が増えることに力を注ぐのだが、ただしリベラルと同じ方法でそれに取り組むのではなく、しばしば社会階級間の格差をラディカルなかたちで克服することや、完全になくそうとしさえすることを好むし、過度の私的所有に対しては否定的な態度をとるのである。また幸福な暮らし《ウエルビーイング》や個人の成長、機会の平等へ向けられたリベラル達の関心を、社会民主主義者達によるこれらの価値への関心から区別することは容易ではない。アナキスト達は人間の自由への強いこだわりをもつが、立憲的政府をめぐるリベラル達の思想についてては共有していない。

イデオロギー間の境界は固定的なものではなく透過的なものである。こうした境界をまたがる思想の運動が、はたして相互に隣接するイデオロギー間の差異を侵食しているとみなすのか、それとも架橋は限定的でイデオロギー間の明確な区別は十分に保持されているとみなすのかは、わたし達リベラリズムの研究者の解釈次第である。ただ、ほとんどのケースでは、ある信念体系や政治的言説の集合について、それがリベラリズムの圏域内にとどまっているか否かを識別することは可能である。「リベラル」という言葉が長いこと使用されているあるケースを発見するとき、そこに新しい意味が付与される可能性や古い意味が廃棄される可能性をどれほど考慮するにしても、わたし達はまずその連続性に目を向ける。アナロジーを用いるならば、地球上のさまざまな住まいにはさまざまに異なる種類の台所を見出せるが、それらはなおも同じ台所だとみなしうるのだ。何世紀もの時が経るにつれて、台所も大きく変化したかもしれない。だが、それらはなおも、熱や水の発生装置を備えた食事を準備する場所という、共通の要素を有しているのである。リベラリズムもまた、きわめて多様な状況や優先順位の変化にその都度適合してきているのだが、それでもなお特定の構成要素を共有しているのである。

リベラルの中核にあるもの

それでは、何がリベラリズムの共通要素なのだろうか。さまざまなリベラリズムの現れのなかで、それらが思想空間的に占める位置づけが異なっていたり、それらがもつ相対的な重要性が異なっていたりするとしても、すべてのリベラリズムに見出されるような諸観念とは、いったい何だろうか。第一章で示されたように、イデオロギーとは強い持続性をもつ中核的概念から成り立つものだ。これは二つのことを意味する。第一に、中核的概念の持続性は、ある任意のイデオロギーのさまざまな具体例を検証することで、経験的に確証されるものである。また第二に、もしその中核的概念が取り去られるなら、そのイデオロギーはそのイデオロギーとして認識できなくなるか、あるいは他のイデオロギー家族の一員に変質してしまう。こうした概念の具体例として、**自由** (*liberty*, or *freedom*) の概念が挙げられる。自由が、リベラリズムのさまざまな形態をつらぬく、その価値ある中核的要素だということは、驚くべきことではない。どの一つの形態でもいいから、そこから自由を取り去ってしまえば、当然のことながらそのリベラリズムは、決定的に重要な、自らを他と区別させる要素を失ってしまうことになる。自由の概念なしでやっていけるリベラリズムの一形態を想像したり、経験的に見出したりすることは、端的にいって不可能である。だが、自由に言及するイデオロギーならば、まさにそのことによって、それはすべてリベラルなのだということにもならないのだ。

もちろん、リベラリズムにとって自由が不可欠のものだと指摘することは、長い物語のはじまりにすぎない。「わたしは自由だ」と述べるだけでは、特に何も決定しない不完全な声明をしているにすぎない。それが意味するのは、単にわたしが誰か他の人間か他のものに束縛されていない、ということだけである。それはただちに、「誰から」、「何から」という、さらなる問いを引き起こすであろう。他者は潜在的にわたしを束縛するものなのだろうか。法は個人を大いに束縛するものなのだろうか。それら以外で、わたしを自由から遠ざける束縛物はないだろうか。選択を実現する手段を欠いた状態である貧困は、たぶんそうなのではないだろうか。十分な知識や情報にもとづいた選択をできなくする無知も、おそらくそうだろう。自分の欲求どおりに行動することを妨げるような、予防が可能な病気もたぶんそうなのかもしれない。自分の能力を活かせないという、その点では無意味な仕事も、ひょっとすると束縛に加えられるのかもしれない。あるいは、わたしが善い人生を送ることを妨げる、社会的偏見を生みだすところの、ジェンダーや人種、宗教、エスニシティに起因する差別はどうだろうか。リベラリズムの第四層を議論した際に、これらのすべてが自由にとっての束縛だと認識されたことを、ここで思い出すべきであろう。

これらの意味はすべて、自由が意味しうるものについての解釈の幅を示している。したがってわたし達はここに、本質的に論争的な概念の例を、つまりありうる意味が一つにとどまらない概念の例を目の当たりにしているのだ。こうした概念が生まれる理由は、異なる価値のあいだに優先度の順位をつけるために必要な、客観的かつ最終的な方法が存在しないことに求められる。たとえば、差別から自由になることと、貧困から自由になることの、いったいどちらがより善いと言えるのだろうか。だが、リベラリズムの内部に複数ある異なった流れは、さまざまな意味のあいだで特定の好みを実際に表しているし、結局のところ、何らかの政策的決定がなされなければならないのだ。ゆえに、リベラリズムを含めたすべてのイデオロギーがもつその機能の一つとして、用いられる概念の脱論争化をすることがあげられる。それは、明確な意味を与えることで、主要な概念を意味の競合から遠ざけるという機能である。リベラリズムはきわめて大きい家族であるため、その家族のさまざまなバリエーションにおいて、自由には異なる仕方での脱論争化がほどこされている。おおまかにいって自由の意味は、二つの異なる解釈にまで拡大されている。つまり、物理的な侵害や、国家による侵害から護られた、他者からの危害を受けないで行える活動の範囲を確保することや、そうした危害を受けることのない非活動的な生の範囲さえも確保することだという意味（第一層）と、人間から人間性を失わせるようなあらゆる障害を積極的に取り除くことで、人間の潜在力の発露を可能にすることだという意味（第三、四層）との二つである。こうした数多ある障害のなかのいったいどれを、取り除くに値するものとみなすのかという問題は、それ自体としてリベラリズムをとりまく文化的環境の絶え間ない変化を反映している。たとえば、現代では、ある種の感情的な損失が身体的な暴力と同じくらい深刻とみなされる場合があるし、家父長制の諸形態はジェンダー平等の文化のなかでは不適切だとみなされるようになっている。

だが、リベラリズムの形態学においては、自由だけに中核的地位が与えられているわけではない。自由は七つの中核的概念の一つにすぎない。以下では他の六つについても、順不同で列挙してみよう。

まず、**合理性**もリベラリズムの中核的概念であり続けている。理にかなった選択ができること、人生の目的や手段について反省できること、配慮と常識と尊重をもって他者に接することができること、といった諸々の能力を人がもっていることをリベラリズムは前提としている。リベラルな社会の成員が合理的であるということの意味を、自律し目的を志向する主体性の概念によって明確化する哲学者もいる。このような主体性によって意味されているのは、計画したり、予期したり、自己にとって最適の選択を求めたりすることができ、自分達の目的にかなった決定を任されても大丈夫だし、たいていは同胞の女性および男性と調和的に生きることができるという、そうした能力のことである。こうした普遍的に共有された合理性の観念から派生して、すべての人がこの合理性を発揮できるようにするために必要な、平等な権利と機会を肯定する議論が導かれる。過去の初期タイプのリベラル達の多くにおいては、合理性は神が与えたもの、もしくは生来のものであったし、そのような認識はこんにちの哲学者や道徳家の議論にも見出される。合理性は人間を自らの善き生へと、また善き生を追求する他者の欲求への配慮へと、差し向ける。

これとはまったく異なる合理性の考え方もある。それは最小コストによる目的達成のための計算というものである。こうした考え方がリベラリズムに導入される経路は、自己中心的でたいていは競争を伴うかたちで、利益や有利さを最大化することを奨励する経済学的・功利主義的な理論である。目下のところ、この考え方はリベラリズムという家族の周辺を飛び回る、いくつかのネオリベラルなアプローチに顕著にみられる。こんにちのリベラリズムの理論が、個人の選好や決定における感情や文化要因の重要性を以前よりも認めるようになってきているのは本当であるし、イデオロギーの研究者が、多くの決定が意図や計画を欠く仕方でなされているという事実を認めるようになってきているのも本当である。しかしながら、人間の理性と合理的なコミュニケーションは、いまでもリベラリズムにとっての道しるべの星という役を担い続けている。

個性は第三の中核的概念である。この概念はしばしば個人主義と区別されずに用いられる。だが後者は、個人の役割を重視した社会構造への特定の見方であり、独立した自己完結的な存在としての個人のみが社会の単位だとする見方である。ゆえに個人主義は、個人から截然と区別された存在として、集団や社会全体を認識するアプローチを拒絶する。こうした見方は個性の概念にはあてはまらない。個性は、人びとを質的に独自な存在とみなす。人は自己を表現したり発展させたりする能力をもつ存在であり、自己の潜在力を完全に実現させるために、これらの能力を必要とする。個性は、個人の性格と意志のなかにある精神的・道徳的要素からなるものであり、それらを個人が自分自身ではぐくむものである。しかしながら個性は、こうした性格と意志をはぐくむために必要な機会を提供する、教育的、経済的、文化的、保健的な環境の促進にも依存する。ゆえにリベラルな社会の取り決めは、こうした諸目的の達成との関係から評価されるのである。

進歩は、個性と密接に関わる概念であると同時に、それ自体も中核的概念である。この概念はリベラリズムに、前進する運動や発展のダイナミズムを与えた。このダイナミズムは、啓蒙と文明を促進するという、リベラリズムの使命の一翼を担うものだと、しばしばみなされている。それはまた、人の発明と努力による物質的テクノロジーの絶え間ない改善や、生活水準の向上を含むものでもある。何よりも進歩の概念によってわたし達は、時間を広い意味での社会改善の方向へと展開するものとみなす、時間についての楽観的な見方へと目を向けることになる。このように展開するリベラリズムの時間は、あらかじめ定められているものでも、目的論的なものでもない。つまり時間は、社会主義者やユートピア主義者の一部の議論に見られるような、変更不可の計画された目的に向かうものだとはとらえられず、むしろ、終わりの定まっていないものだとされている。人間の発展は、諸個人の自由意志（それは、リベラリズムの他の中核的概念のなかに埋め込まれ、それらのなかでしっかりと守られている）を活用し、またそうした自由意志を反映する、連続的なプロセスなのである。完全に自動的でもないし、強要されたものでもないものとして、時間は予測不可能なものなのだ。

リベラリズムの言説を貫く第五の中核的概念は**社会性**（**社交性**）である。これが中核的概念に含まれることに、驚く人もいるかもしれない。だが、その重要性の証拠はまず、ロックの示すリベラリズムの初期タイプに、とりわけ彼の自然状態の観念のなかに、すでに見て取ることができる。この自然状態の観念は、合理性と、すべての者による権力の分有という、二つのリベラリズムの中核的概念に支えられている。しかしそれはまた、「自分以外の他人を愛する」義務を含む観念でもある。(2) 人間は、その存在がまさしく始まったときから、尊重と愛情の強い相互依存関係のなかにあることが、ここでは想定されている。したがってロックの自然状態は、前政治的なものではあっても、前社会的なものではない。なぜなら、人は他者の生命、財産、健康に関心をもつ存在とみなされるからである。この控えめな出発点から始まって、長い年月を経て次第にリベラリズムのなかで、経済的、倫理的、感情的あるいは物理的に利益を与え合う相互依存関係という考え方が発達してきた。この考え方は、人間が非孤立的な状況に置かれていることを立証するものであるだけでなく、市場中心的なバージョンのリベラリズムの力を弱めるものでもある。あるリベラリズムの批判者にしたがって、個人主義を原子論的社会観[*1]——各人は根本的に他者から分離されているとみなすこと——を意味するものと解釈するのであれば、そのような個人主義は、リベラリズムの主流派の考えには見られない。もちろんこれは、リバタリアンのあいだに見出されるだろうが。

社会性の概念とときに関連し、だが概念的には区別されるべきものとして、**一般的利益**の概念がある。この第六の概念は、すべての個人（およびすべての集団）を包摂すべきだという、リベラリズムの主張を思い起こさせるものであり、人びとを断絶する基準として階級や人種、ジェンダー、エスニシティを強調することを退けるものである。リベラル達はしたがって、こうした差別を原理として見ることから、自分達は影響を受けていないような態度をとる。リベラリズムの批判者は、こうした態度をリベラル達の無理解《ブラインドネス》を示す証左として強く批判する。リベラル達が論争の余地ある偏見をさらしていながら、しばしば自分はそのような偏見を表していないと思い込むという、リベラルの自己欺瞞のさまざまなあり方を、リベラリズムの批判者は暴露しているのだ。一般的にいって、互いに異なる次元で共同体が存在するという考えがあるとき、そこには特定の条件や環境が人びとによって共有されており、そうした条件や環境によってその成員の特定のアイデンティティが作り出されていることが意味されている。こうしたアイデンティティは、特定のものの見方や、意見、観念のゆるやかな蓄積ももたらすとされる。リベラリズムにおいてこの第六の概念がもともと導入された理由は、普遍的な人間の利益そのものに、人びとを分断するのではなく統合するものに、そして根本的な次元での同意に訴えたい、という願望であった。この願望から、品位《ディーセンシー》の感覚や適理性に、相互の尊重と配慮の平等に、そして各人の集合的な善の促進への願いに言及することもある。リベラリズムを市場志向的で競争的なイデオロギーだと解釈する論者のあいだですら、一般的利益を強調して語っているものがいる。こうした論者はしばしば、私的な悪徳は公共の利益をもたらすという、バーナード・マンデヴィルの有名な「蜂の寓話」的な議論に依拠することがある。つまり、個人的な実利の追求はすべての人への利益をもたらすというのだ。(3) 第二章で指摘したように、アダム・スミスとヘーゲルは、見えざる手が分業と専門化をとおして働くことで、自利の追求が公的利益にかなう結果をもたらしうることを示したのである。

ここに、リベラリズムの第五層である多元主義と多文化主義は、いかに関わるのだろうか。それは次のようなものである。リベラル達は社会内部に存在する共同体の多様性を認識するが、そうした共同体どうしの関係は、完全に分離主義的なものではない。第五層のリベラル達は、ここでは単に一般的利益の範囲を広げようとしているのだ。すなわち、異なる集団の共存が可能なだけではなく、価値あるものとなるような環境を創出することが、そこでは目指されているのである。品位や適理性、相互尊重は、宗教、エスニシティ、地域性がそれぞれ異なる共同体が互いに関係しあいながら並存・共存できる社会の創出にとって、ますます重要な命題となる。人びとが人間性を備え、善を追求することで、互いの交流がうながされ、他のリベラリズムの中核的概念にも強い支持が集まるとの想定が、ここにはみられる。だが同時に、これまでに見てきたように、社会の多元主義を保持するリベラル達には解決困難な諸問題も残り続ける。過去のリベラルが軽視したマイノリティの人びとのアイデンティティの重要性は〔一般的な利益ではなく〕アイデンティティ間の対立の自覚によってこそ、認められてきたからである。

第七の中核的概念は**権力**である。ただし、制限され、またアカウンタビリティがあるかたちでの、という特定の意味における権力である。根本的な次元で、リベラル達は権力に対してとまどいを覚えてきた。結局のところリベラリズムが歴史のなかで出現した主な理由は、権力の濫用と権力による抑圧への抵抗だったのである。他方でリベラル達は、拘束力のある決定をするためには政府に権威が必要であること、そして決定を行い実行するためには権力の行使が常に必要であることを、認識していた。しかしそれにもかかわらず、リベラルな政体における決定はさまざまな仕方で限界づけられ、制限されているのであるが、それは、抑制と均衡によって、権力への対抗手段の確保によって、正当でそれゆえに強制可能な権力の行使に関する立憲的なルールによって、そして何よりも権力を分割することでその危険性を弱め、異なる集団に権力行使を可能にさせることによって、なされている。このように定められた権力の構想は、より広い包括性へと徐々に向かうものであり、共同体に奉仕するためのものである。それは、リベラリズムの中核的価値の総合的なパッケージを最大限——完全にではないにせよ——実現させるための道を切り拓いていくことが期待される権力の構想なのだ。

リベラルの骨格に肉付けをする

これらの中核的概念は、リベラリズムの解剖模型に骨組みを与えるにすぎない。というのも、多様なリベラリズムの家族にとって、これらはすべて必要な構成要素であるが、かといってリベラリズムを成り立たせるうえで十分なものではないからである。政治的な概念の一つ一つが多様な構想〔つまり意味の解釈〕をもつことを、わたし達はよく知っている。自由は放縦を意味することもあれば、無害な行為への拘束がない状態を意味することもあるし、自分自身の潜在力を発揮させること、反省的な選択をおこなうこと、あるいは市民自治を意味することもある。しかし、これらすべての意味を同時にもつことはできない。なぜなら、自由の諸構想のなかには、他の諸構想とは両立不可能なものがあるからである。その結果、リベラリズムの思想があるとき、そのどんな事例であろうとも、これらの中核的概念には特定の意味（や構想）が選択的に与えられ、他の意味は排除されることになる。イデオロギーの形態学を厳密に実践するにあたっては、こうした脱論争化がいかになされるのかを示すことが肝要である。

中核的概念は、それらが意味しうる多くの意味をさまざまに巡り続けるものであるから、そのなかから特定の意味を一時的にせよ確定させる何らかのメカニズムが必要となる。さもなければ、観念は曖昧で一貫性をもたなくなり、政治的リアリティ――それ自体もまた不完全なものであるが――の獲得もできなくなってしまう。すでに述べたように、こうした脱論争化の過程は、ある概念がとりうる意味を、一つを除いてすべて排除する。たとえば、それは上で挙げた自由の五つの意味のなかから、ただ一つだけを選び取る（ときにはわずかながら複数の意味にまたがることもあるが）。もちろん論理的には概念が複数の構想をもちつづけることは可能である。だが脱論争化は、概念に特定の文化的、道徳的、政治的、功利主義的な重要性を付与する方法であり、それなしでは社会的・政治的な混沌や麻痺がもたらされてしまう。換言すれば、脱論争化とは、きわめて複雑な物事を単純化することであり、政治的な議論に伴ううんざりするような複雑さと向き合っていくために必要な、効率化をもたらすことなのである。脱論争化は、「正しい」意味や「真の」意味を見出すこととは何の関係もない。それは思想・イデオロギー・言説を理解しやすくさせることに、そして決断を可能にすることに、関わるのである。

脱論争化はまた、リベラリズム自身にとっても興味深い知見を与えてくれる。概念が複数の意味をとるという事実は、観念の柔軟性や適応性を示している。こうした柔軟性や適応性こそ、リベラリズムの卓越性を表す特徴の一つであり、リベラリズムの生命力の源であり続けてきた。微調整や再調整こそ、リベラリズムが全体主義イデオロギーよりもはるかにうまくおこなってきたことである。全体主義は、しばしば硬化症的な厳格さを示し、自らのイデオロギー陣営内部に緊張と亀裂をもたらした。だがその一方でリベラリズムには、結果として他の多くのイデオロギーの家族と共有するところとなった、これとは正反対の側面もある。それはリベラリズムもまた、交渉の余地なき領域、越えてはならない一線を引いているということである。リベラリズムは、たとえば拷問を使った人権の根本的侵害といった、非リベラルな思想や実践に対しては寛容になれない。死刑反対も、不変的なリベラルの立場である。言い換えるなら、リベラリズムはその中核的概念が最も強力に働く局面で、強い脱論争化をおこなうということである。政治学者ルイス・ハーツは、かつてこのことをアメリカに見出せると信じていたようである。「確かにこれは注目すべき力だ。この確固とした、教条的ですらある、リベラルな生き方を信奉するリベラリズムは」[4]。ハーツのアメリカ社会についての見方は誤っていたかもしれないが、彼はリベラリズムの確信の力強さについては正しいことを述べていたのだ。

形態学的にも実践的にも、決定性が必要だという点では、リベラリズムも例外ではない。すべてのイデオロギーと同様、ある概念に以前よりもはっきりした特定の意味が付与される過程は、その概念を囲んで隣接するように配置された諸概念との関係性をとおして、主になされるものである。この隣接する概念の集合体は、中核的概念の含意を豊かにすると同時に、中核的概念が包含しうる意味の可能性を限定づける。リベラル達は、自由という中核的概念を、たとえばデモクラシー、幸福な暮らし《ウエルビーイング》、機会の均等として理解された平等などの、隣接する概念によって取り囲むかもしれない。この例の場合だと、中核的概念の意味は、アカウンタビリティのある福祉国家に接近していくものと解読されることだろう。つまりそこでは自由は、社会の全員が必要とする社会財へのアクセスを妨げるような障壁がなくなった状態を意味するようになる。これはちょうど第四層のリベラリズムの中心にみられた形態学的パターンである。この意味での脱論争化は、しばしば自由の行使概念*2の構想としてとらえられるが、それは自由が、干渉されない状態だけでなく、積極的に選択をおこなっている状態や、自己の潜在能力を表現させている状態も意味するとされているからである。つまり自由は、単なる受動的な状態ではなく、何かをおこなうダイナミックな状態のことなのであり、他者の支援を受け取る協働関係のなかで可能となる、自らの能力の活用を意味しているのである。

これに代わって、リベラル達は所有、安全、生産性、法の支配などの概念を、自由と隣接する位置におくこともできるだろう。このパターンが優勢になった場合には、自由は市場での個人の活動を保護すること、という意味を帯びるようになってくる。所有権を正式に定め、〔個人の〕経済活動のための道筋を切り拓くことで確立されるこの自由の構想は、第二層のリベラリズムの中心にみられた形態学的パターンである。また、中核的概念どうしの関係性に着目することも、多様な解釈に開かれたリベラリズムの中核的概念の理解を促進するための有益な方法である。たとえば、合理性と社会性、制限された権力〔といった中核的概念〕を結びつけるなら、合理性は人間の相互依存性からもたらされる文化的・経済的利益〔の認識〕と関連づけられた意味をもつだろう。さらに合理性は、社会内の権力への依存が過度に進むと、鈍化させられてしまうたぐいのものとして理解されるだろう。こうした概念の組み合わせのパターンはいっけん無限にあるようにも思えるけれども、実のところそうではない。基本的には第三章で検討した複数の層に適合するようにできている。

しかしながら、これが話の終わりではない。リベラリズムの構造にさらなる微細な分析を加えていくと、第三の、周縁的概念のかたまりに出くわすからである。通常それらは、他の概念と比べてリベラリズムのイデオロギー舞台においては持続性をもたないものである。しかしながら、より中心的な「内側の」概念を、リベラル達が生きる具体的な政治的・社会的世界と結びつけるにあたって、これらの周縁的概念は不可欠のものである。周縁的概念は、二つの異なる側面をもっている。第一に、周縁に位置する観念や実践は、イデオロギーの主要観念の維持という目的にとっては、重要性の低いマージナルなものである。他方、第二に、イデオロギーは継続的に「侵食」してくる現実世界のコンテクストへの対応を迫られるのであり、そうしたコンテクストをイデオロギー内に同化させるために〔周縁的な〕言説の流動性と変異性が求められる。

一つの例として、ここしばらくのあいだ公共の議論の最前線のテーマとなっている、イギリスへの移民をめぐる問題について考えてみよう。「移民（immigration）」の概念は、他のイデオロギーと同様にリベラリズムの思想にも影響を与えている。しかしながら、最近のポピュリストやナショナリストの集団にとっては、移民の概念は中心的なものであるが、リベラリズムにとってはそうではない。移民は、入国してきた外国民から観光客とトランジット中の人を除いた人びとについての概念であり、避難民（refugees）、亡命者、求職者、福祉受給を目当てにきた人びと（benefit seekers）にカテゴリー分けされる。最後の二つは、入国の法的資格が与えられた人（たとえばEU諸国の国民）と不法入国者の双方を含む。リベラル達は概して、伝統的に移民に寛大な態度をとってきた。これには二つの理由がある。つまり、リベラル達が価値をおく移動の自由の一環として移民をとらえるからという理由と、出身地での苦難や迫害のかたちでもたらされた危害から諸個人を守ることを目的とする人道的考慮の一環として――限られた場合においてはだが――移民をとらえるからという理由である。リベラル達はまた、移民がもたらす可能性のある経済的利益や技能《スキル》にも価値をおき、移民文化の多様性やそれが自国文化に与えてくれる恩恵にも価値をおくことがある。結果として、移民という周縁的概念は、自由と社会性という中核的概念とあわせて、福祉、ヒューマニズム、多元主義、相互依存、繁栄といったリベラリズムの第二の概念集合である隣接する諸概念と、連結することになる。しかし、リベラル達のなかには、移住先社会の負担で福祉制度を利用したいという目的のみをもってやってくるいわゆる「ベネフィット・ツーリズム」のようなタイプの移民と、それ以外の移民のあいだに線引きをする者もいる。あるいは、移住先社会に対して極端な敵意を向けたり暴力をちらつかせたりする人の入国を制限したいと考えるリベラル達もいるだろう。移民をめぐる諸経験にある具体性は、リベラリズムがかかげる抽象的な思想に、色味と文脈を与える。現実の特定の状況を根本原理とつなげる〔移民のような〕「ブローカー」的概念のおかげで、イデオロギーが理解可能なものとなり、政治的・社会的な意義のはっきりとしたものとなることが、しばしばみられる。実際のところ、隣接する観念や周縁にある観念の双方と接続されなければ、中核的概念は空虚で曖昧なものであり続けるのだ。したがって、リベラリズムの一家に含まれるメンバーの複数性を見出す一つの有益な方法は、リベラリズムの各バージョンにおいて、互いに共有されてはいるものの厳密には定義されていない中核的概念が、もう少し具体化された隣接する概念を通じて、リベラリズムとともに存在し、リベラリズムと相互影響関係にある、多くの異なる周縁的概念へとつながっている様子を追うことにある。もちろん、この流れを逆にたどることもできる。リベラリズムの周縁に位置する観念、実践、出来事が、中核的概念と隣接する諸概念と織り成す関係性から入っていくやりかたである。そうしてこれら〔隣接と周縁〕が中核に与えるインパクトを評価すること、すなわち、こうした選択的経路と接合されることで、中核的概念がいかに自己を適合させ、または再解釈するかを、評価することができるだろう。よって、自由な交換や個人の創意、企業家精神、競争といった概念が、中核的概念と隣接する概念として利用された場合は、自由や個性といった中核的観念は、市場での実践へと引き寄せられることになるだろう。そこからさらに、貿易をめぐる国家間合意や、価値ありとみなされた仕事に報酬とステータスを連動させることといった、さまざまな周縁的論点への旅が続く。あるいは、周縁から中核へという逆方向の旅路は次のようなものとなるであろう。社会的影響の大きい疾病を治療しうる新薬の開発という医療業界のブレークスルー〔という周縁的課題〕が、リベラル達によって福祉や公有財産権といった隣接する概念に連結されつつ、一般的利益や進歩といった彼（女）らの中核的概念の強化へと向けられる。その結果は、国家の財政補助を受けて、容易に手に入れることが可能になった医薬品という、社会化された形態の医薬品というものである。だが、ありうる他のリベラリズムの旅路では、同じ医療的発見が、私的所有権や個人の発明への金銭的報酬といった隣接する概念と連結されるかもしれない。この場合は、効率性としての合理性という特定の解釈をうけた中核的概念や、他者に危害を与えない諸活動（この場合は、健全な市場で競争している私企業による安全な薬品の生産という活動が想定されている）への干渉の不在としての自由という中核的概念へと向けられるだろう。ことほどさように、形態学的な入れ替えの可能性や、そのパターンは多数あるのだ。しかしながらそれらはみな、リベラリズムが提供しうる可能性の範囲内におさまっていることもまた確認できるのである。

精確なものと曖昧なもの

イデオロギーが何かしらの本質をもっているとか、概念が真の意味をもっているといった見方を、形態学アプローチはとらない。このような見方をとるのは、イデオローグや、倫理学者や、哲学者のなかの特定の人びとである。形態学アプローチは、議論のなかで反復されるさまざまな典型的パターンを見出し、それらを特定のイデオロギーの一家にまとめあげることを目的として、多くの異なった資料から選り抜かれた経験的証拠に依拠する。リベラルな言語と言説の反復的パターンを精査することで、内部に複数のまとまりをもつ複雑な集合体としてリベラリズムが立ち現れてくるさまが見出される。リベラリズムにある構造的な柔軟性と耐久性によってもたらされる、その環境適応能力は、観念の意味が厳しく問われる世界での生き残りをかけた、絶え間ない闘争に参加するイデオロギーに、大きな利点を与えるものである。しかしながら、リベラリズムを生み出す多様な観念の配置の変化は、そのいかなるバージョンにも組織的な制限を課す諸々の中核的概念のフィルターをとおして行われる。また他のイデオロギーと同様にリベラリズムにおいても、変化は中核部分ではゆっくり、周縁の部分ではより速く行われる。前者においては持続性と焦点が存在するようにみえる一方で、後者は流砂の上におかれている。

リベラリズムを、はっきりとした家族的な類似性をもちつつも、その形態学的配置は不安定なものとしてとらえるわたし達のアプローチは、リベラリズムと他のイデオロギーとの境界の曖昧さにも気づかせてくれる。リベラリズムの諸概念が優先順位を変更して再配置されたならば、またはいくつかの概念が他の概念に取って代わられたら、リベラリズムは隣接する他のイデオロギーに変化しうる。イデオロギーどうしの境界は、ことほどさように強固なものではないのだ。イデオロギーは自身を独自で明解なものだと示したがるかもしれないが、形態学的分析はイデオロギーどうしの重複や共有された領域、相互浸透を容易に示す。決定的に重要なのは、あるイデオロギーを他から区別するものは、特定の観念や概念の有無ではないということだ。イデオロギーを区別するのは、なんらかの要素が重なり合ったり共有されたりしていても、なお見出されうる、そうした要素の集合パターンの違いなのだということが重要なのである。

リベラリズムの地位を欲する思想に、その資格が与えられうるかどうかを判断する際のいま一つの困難は、特定の中核的概念がインフレを起こし他の中核的概念を放逐する際にみられる。市場と資本家の企業精神の力だけを強調し、個人の成長や自律的・反省的選択にはほとんど注意を払わないという仕方で、痩せ細ったバージョンの第二層のリベラリズムを奉ずるリベラルがいるとしよう。そこでは、富を蓄積する自由としての自由概念が排他的に中核の領域を占め、他の中核的概念を衰弱させてしまう恐れがあるだろう。しかしながらこうした事態は、ある中核的概念が他を放逐する際にはいつでも起こりうるものなのだ。そのとき、そこに残った中核的概念だけで「リベラリズム」の称号にふさわしいだけの十分な量が満たされうるかどうかについて、分析者の慎重な判断が求められる。この点は第七章でまた触れることになるだろう。

もちろん、研究者のなかにはわたし達のものとは異なる〔イデオロギーについての〕唯名論的な見方も存在する。この見方によれば、リベラルだと自称する人びとの立場は、額面どおりにリベラルだとみなすべきである。(5) これは形態学アプローチが採る見方ではない。たとえば、ナチスが自らを国家社会主義者と呼んだからといって、ナチスを社会主義〔というイデオロギーの〕共同体の一員だと無批判にみなすような、自己申告主義的な唯名論を受け入れるべきだろうか。もう少し穏健な言い方をすると、こうした見方は、戦間期ファシズムに対する理にかなった理解を難しくしてしまうだろう。個人や集団が自らをいかに規定しているかは分析上疑いなく重要な問題である。だが、そうした自らが使用する観念に名前を与えようとする人びとの外部にあるさまざまな異なる観点から、自己規定は検査される必要もあるのだ。

リベラリズムの諸思想をいかに考察し、どのような評価を下すかにかかわらず、形態学アプローチ〔の利点〕は、リベラリズムがとりうる可能性の地図を描き出せることにある。それは中身の価値について特定の評価を下すものではない。その役割はリベラルな考え方が現実に示す特徴の理解を助けてくれることにあり、その評価を下すことではない。もちろん、評価を下すことは政治的思考において常にみられ、リベラリズムの提唱者も批判者も絶えず行ってきたことではある。この最後の点については、次の章でより詳しく考察することにしよう。

【訳注】

＊1 たとえば、チャールズ・テイラー「アトミズム」（田中智彦訳、『現代思想』第二二巻五号、一九九四年に所収）を参照。

＊2 チャールズ・テイラーは、アイザイア・バーリンの消極的自由の構想を批判した際に、干渉の不在を意味する消極的自由を「機会概念（opportunity concept）」と呼び、自らが擁護する、文化的背景の解釈に根ざした強い評価に基づく積極的自由を「行使概念（exercise concept）」と呼んだ。

第五章　リベラルの名士達

リベラルの「偉人達」

他のすべてのイデオロギーと同様に、リベラリズムの物語は、そのときどきの知的、社会的な流行や潮流を特定の注目すべき個人の貢献と関連づけながら進められる。リベラリズムの歴史がもつ範囲と複雑さを数人の人物の思想史に還元させるのは、方法的にも事実としても誤りだとわたしはこれまで述べてきた。しかしながら、リベラリズムの言説の確立や、一般の人をリベラリズムに接近させることを可能にしたいくつかの重要な思想的道標の確立にあたって、こうした「有名人の《セレブリティ》」思想家達が果たした貢献を無視することもまた同様に誤りであろう。複雑なリベラリズムの意味的領野が「英雄的」人物の主張に還元されることはしばしばみられることだし、なによりそうした還元そのものがリベラリズムの理解や受容に大きな影響を与えてきたからである。リベラリズムが実際に何であったのかが、あまり重要でない場合がしばしばある。むしろ、リベラリズムの代表的な提唱者の考えを一般の人びとが受容したその仕方によって、リベラリズムのレトリック的な力や想像力を惹起する力がしばしば高められたという事実のほうが、重要であることも多いのである。

この非常に特殊化したリベラリズムの知的伝統は、多くの部分が哲学者達によって、そして大学の授業、さらにはリベラリズムの正典の一部を形成する「古典的な」歴史や文学の文献をとおして、構築されてきた。しかしながら、たしかにロックのような初期のリベラル達が、後のリベラリズムの伝統に吸収されることがあっても、こうした初期のリベラル達の意図や関心の多くは、リベラルのものとはみなされえないものであるのも事実である。こうした理由から、この章にロックは現れない（そうした吸収は、初期リベラル達の独自の論理を発展させるものであり、文化的記憶を再構築するうえで重要な役割を果たすものではあるのだが）。この章では、一九世紀前半以降にリベラルな思考を形成し磨き上げた思想家や哲学者の議論を考察することとする。この時代こそ、リベラリズムが確固としたイデオロギーとして現れた時代だからである。議論のいくつかはリベラリズムの理念型の構築を試みる哲学的な営みとしてはじまった。ただし近年の多くの哲学的リベラリズム――第六章で論じる――とは異なり、以下の議論は、リベラリズムがたどってきた歴史的・経験的軌道を記述する試みに参加するものともなる。というのも、思想家達の多くが、かなりの程度、同時代の政治問題に深く関わっていたからである。

わたし達は四人のイギリスの思想家からはじめることとする。彼らの思想は、著しい一貫性のあるリベラリズムの思想的発展の糸を紡ぎあげるものである。それはリベラリズムの第一層の諸側面を第三層と第四層とに結びつけるものであり、それはのちに他のリベラル達から挑戦を受け、ときほどかれた糸でもある。この点を強調することは、リベラリズムの公分母をとおして、のちにこれと異なる思想的可能性が拓かれ、リベラリズムのコースが顕著に変わったことに思いを馳せると、重要なものとなる。後者の新しいリベラリズムのバージョンを批判して、リベラリズムというラベルの不正使用だとまでは言わないものの、それは汚れなき「本物の」リベラリズムのエッセンスを蒸留せんとする純粋主義者の後衛線的・防御的な動きだとみなす論者もいる。この新しいリベラリズムの提唱者達は、しばしば第三と第四の層の提唱者を、彼らが擁護するリベラリズムに対する裏切り者であるか、少なくとも歪曲者だと強く非難する。のちにみるように、ハイエクがその一例である。

ジョン・スチュアート・ミル（一八〇六―七三）

リベラリズムの世俗聖人達が集まる神殿において、ジョン・スチュアート・ミルが占める位置は確固たるものである。リベラルな思想が議論されるときにはいつでも、ミルは早晩主要な（唯一のではないが）参照点となる。ただし、いそいで付け加えなければならないが、ミルの思想は典型的にリベラルなものだとはいえないのだ。典型という言葉が普通を意味するのであれば、ミルはその鋭利さ、想像力の豊かさ、分析の手際のよさ、そして認識の広さにおいて、典型的ではなく、例外的な存在であった。一九世紀における普通のリベラルな思想を知りたければ、パンフレットや新聞、議会の討論やその他の平凡な書き手に目を向けるべきである。だがもしもリベラルな思想の最良のものに触れたければ、ミルは適切な出発点となる。複雑な哲学的議論の作り手として、同時にリベラリズムのイデオロギーに新たな方向性を与えた思想を一般公衆に普及した者として、ミルは大いに検討に値する存在なのである。政党が、イデオロギーの〔変化に後れを取る〕「劣後者」である一方で、ミルのような哲学者はイデオロギーにとっての「道の開拓者」である。ミルは彼の時代のリベラリズムを完全に代表する存在ではなかったかもしれない。だが彼は、リベラリズムにイギリスの国境をはるかに越えるような強い影響力を与えることに、大いに貢献した人物なのである。

ミルがリベラリズムの思想に与えた貢献は多岐にわたる。一八五九年出版のよく知られた『自由論』で、ミルは自己にのみかかわる行為と他者にもかかわる行為の区別を明記した。この区別は、のちにリベラリズムの中心的特徴の一つとなる、公的領域と私的領域の境界線を明確にしてくれた。自己にのみかかわる行為には、誰もそこに干渉する権利をもたない。自己の身体の安全や、自分の好みや信条、(内容表示のラベルが付いた)薬物や医薬品の購入といった、こうしたことについて選択することを、ミルは自己にのみかかわる行為のリストに含めた。これらすべてのケースにおいて個人の理性への依拠が想定されているし、たとえ誤った選択をするとしても、失敗から学ぶことのほうが、他人から指導されることよりもつねに善いのである。これと比べて、個々の行為のほとんどは他人にも影響を与えるのだから、他人にかかわる行為のほうが、はるかにより一般的である。ただしこれについても、それが他人に危害を与えるのでない限り、個人の自由にまかせたほうがよいとされる。これは危害原理として知られるルールであり、ロックを含めたはるか以前の時代の自然法と自然的義務の提唱者の議論のなかにも見出されるものである。とはいえ、ミルはこの原理をはるかに洗練されたものにした。個人が他者に不便や不快をもたらしたというだけでは、その行為に干渉する根拠としては不十分である。行為への干渉が正当化されるのは、他人にかかわる行為が、社会の他の成員の利益にとって決定的に有害な場合なものだ。ミルが考える他者への危害という概念は、現代の基準からみれば狭いものだ。物理的な損害や法的強制、世論からの過度の圧力などはこれに入るが、たとえば抑圧をもたらすような、心理や感情、歴史的記憶を通じた危害はそこに入らない。ミルが認めていないこうした危害も、同じくらい非人間的なものだという認識をもたらしてくれる概念装置は、一九世紀の段階ではほとんど存在しなかった。ともあれ、この危害原理と、誰にも侵されない個人の私的領域という観念は、現代リベラリズムの顕著な特徴であり続けている。そして、思想や発言や団結の自由を、それなしでは個人も社会も発展できない品位ある開かれた社会の指標だとみなすミルの主張は、きわめて価値の高いものであり続けているのだ。

以上のことは、ミルによるリベラリズムへの唯一の貢献でもなければ、主要な貢献でさえない。彼は功利主義を快楽追求型の理論からより洗練された教義へと転換させた、最初の人びとのなかの一人であった。人間の自己発展に注目し、人間は進歩する存在だと主張することで彼は、功利主義の焦点を移ろいゆく快楽から、人間の永続的利害へと転換させることを提唱したのである。こうした改善という考え方は、それまでの功利主義では一般的なものではなかった。というのも、快楽の最大化という〔功利主義の〕指針は、個人の成長という思想を含まなくともよかったからである。

最も大事なことは、ミルがリベラリズムの諸価値についての洗練された認識を、リベラリズムの伝統にもたらしたことである。ミルのエッセイのタイトルは自由だけに言及している。だが第三章でもみたように、彼はリベラリズムを「個性の自由な発展」という三つの概念の連結に基づくものとみなしていたのだ。

個性の自由な発展が、幸福の主要な要素の一つであり、文明、知識、教育、陶冶といった言葉が意味するすべてのものと同格の要素であるばかりでなく、そうしたものに必要不可欠な部分であり条件でもあるということが、もし実感されていれば、自由が過小評価される危険はないだろう(1)……。

このリベラリズムの諸概念の内的連関のなかで、自由の価値は高められると同時に制約も受けている。一方では、人間の潜在力を開花する合目的的なものとしてとらえられているがゆえに、自由の価値は高められている。他方で、無為にすごすことや、善き生をもたらす能力を損なうようなことへの自由については、完全に制約されてはいないものの、〔ミルの原理によって〕難色を示されるという意味で制約を受けている。また発展は、とりわけ個人の内面から生み出される意志の問題として扱われ、外側から課されるものではないとされた。そして個性は、具体性を伴った倫理的理想であり、かつ人格の陶冶に至る道でもある。個性は、活力、変化、独創性などの特質と結びつくものであり、個人の多様性に最大限の価値を付与する。個性は、人生計画をみずからデザインすることを個人に課し、何よりも選択の行使を伴うものである。この選択の行使は、判断力、ものごとを見分ける感情、道徳的な好悪をもつにあたって、絶対的な重要性をもつ。

トマス・ヒル・グリーン（一八三六―一八八二）

リベラリズムのなかを流れ始めた新たな潮流は、T・H・グリーンによるしばしば曖昧で難解な議論からも、予期せぬ勢いを与えられた。ベイリオル・カレッジの哲学教員であったグリーンは、イギリス観念論学派の傑出した一員でもあった。彼の講義に出席した多くの者は、講義が抽象的で理解が難しいものと感じたので、彼の言葉は、新たに考えだされたイデオロギーの普及という目的のための手段として、効果的なものと即座にいえるものではなかった。にもかかわらず、グリーンは決定的に重要な洞察を表し、ときにレトリック面での卓越のすばらしさを閃光のように示したのであり、そのことは、観念の鋭利な表現が大規模な政治的公衆にまで届く可能性があることを表している。その名が示すように、観念論は根本的かつ第一義的な重要性を、社会生活を支える観念、価値、義務に見出した。ミルが人間存在の社会的側面を認識したのに対して、グリーンはさらにこの社会性という観念を拡張した。個人は常に協同的な仲間どうしからなる共同体のなかに位置づけられた存在であり、個人の思想や行いは、かかる共同体からは切り離されえないと彼は論じたのである。実際、個人が最も自由な存在となるのは、自らの道徳的義務を果たし、他者を自らと同様の潜在能力をもつ存在として尊重し、承認するときであると、グリーンは主張していた。自由とは、理性的かつ倫理的な存在となること、曇った判断力にさえぎられることなく、真かつ善であることを意志することに他ならない。以上のことはグリーンにとって、神の意志を反映した永遠の真実であり、人びとを究極的な完成へと導くものであった。彼に続くリベラル達においても、より世俗化されたかたちで、こうした道徳的側面は同じように保持されえた。

グリーンは、リベラリズムの思想が長らくもってきた一つの傾向を示している。つまり、個人の行いや個人相互の行いにおいて、善き行いに関する独立不変の基準があると想定する、という傾向である。良識、尊重、寛容、穏健などは、そうした善き行いの例である。こうした基準が存在するという考えが、経済的・商業的な生によって不可避になりつつあるように思われた辛辣で利己的な取引関係というものに違和感を覚えつつあった、多くの思慮深い後期ヴィクトリア朝の人びとの琴線に触れたのだ。一八八一年の有名な公開講演

「リベラルな立法と契約の自由」でグリーンは、彼には珍しく、一般人の言葉を用いつつこの問題について明快に説明した。この講演は、個人の発展と個人相互の依存関係は、共通善の見地からみて、矛盾の関係にあるのではなく補完的な関係にあるとする、彼のあとに続いた左派リベラル達の共通見解の底流となった。ここにはまた、自由の観念へのグリーンの重要な貢献がみられ、それは最終的には現代福祉国家の思想に反映された。ときに精神性豊かなレトリックも駆使しつつ、グリーンは自由が単に放っておかれることではなく、他者と共に行為するという積極的な能力のことであると論じた。

わたし達はみな、おそらく次のことに同意するだろう。正しく認識されるならば、自由とはあらゆるもののなかで最も偉大なる神からの恩恵であるということ、そして自由の獲得こそは、市民としてなされるわたし達のあらゆる努力の、真の目的であるということを。しかし自由について語るとき、それがいったい何を意味しているのかについて、注意深く考えなければならない。わたし達はたんに、抑制や強制からの自由を意味しているのではない。わたし達はたんに、自分自身がいったい何を好んでいるのかを問うことなしに、好むことならば何でも行ってしまえる自由を意味しているのではない。また、他の人びとの自由を犠牲にすることで得られる、特定の人や人びとの自由を意味しているのでもない。わたし達が大いに価値あるものとして自由を語るそのとき、自由は、行ったり享受したりする価値のある何かで、他の人びとと共に行ったり享受したりする何かを、実際に行ったり享受したりすることのできる、積極的な力あるいは能力を意味しているのだ。(2)

本書でわたし達は、自由の正しい意味が何であるかという問題は、他のすべての政治的概念と同様に、本質的に論争的な問題だということをみてきた。積極的自由と消極的自由を区別した最初期の思想家の一人であったグリーンは、自由の意味合いをめぐってリベラル達のあいだに存在する、根本的な意見の不一致の形成に貢献していた。注意深く、思慮深い言葉を使ったけれども、グリーンの思想にはラディカルな調子が満ちていた。つまりそれは、既存の社会秩序に挑戦しており、個々の行いを、自由の行使がもたらす個人の発展と社会の利益という観点から評価するものだったのである。自由の拡大が何によって測られるかといえば、市民達が「自己の最大最良の部分を開花させる」ための力をどれだけもっているか、によってであった。こうしたグリーンの見解は、啓蒙主義が楽観的にももち続けてきた人間の完全性への信頼を表す、最後期の思想として位置づけられるだろう。だが、グリーンの積極的自由の概念は、のちにアイザィア・バーリンが激しく批判したような、極端なものではなかった。バーリンが批判したのは、高次の本質ないし「真の」自己と結びつけられた理性的な自己支配という考えが、抑圧的な社会集団によって利用され、社会成員の善に関する画一的解釈に従うように諸個人が強制されていくという自由の構想であった。〔だがグリーンによれば〕個人の声とは、各人を代表していると称する僭称者によってそのほしいままにされたり、（ルソーの有名な言葉を借りれば）「自由になるよう強制」されたりすることもありえないものなのである。

レナード・トレローニ・ホブハウス（一八六四―一九二九）

L・T・ホブハウスは、盟友J・A・ホブスンとともに、ニューリベラリズムの代表的提唱者であった。ニューリベラリズムは、一九世紀後期から二〇世紀にかけての世紀転換期において、リベラルな思想の焦点を変化させた思想潮流である。リベラリズムの学徒は、ホブハウスに特別な関心を寄せてきた。それは彼が哲学の領域で確固たる地位を築いた一方で、質の高いジャーナリズムの世界にも属していたからである。ホブハウスは、この時代にあった二種類のリベラルな言語を用いる当代唯一といってよい存在であった。つまり彼は、一方ではリベラリズムの一般理論の形成者であり、他方では実践的で現実的なリベラル・イデオロギーの構築者であったのであり、この二つの役割を軽々とこなしていたのである。一九一一年に出版された彼の最も知られた著作である『自由主義』は、一般向けの、広い普及を可能とする形式で書かれたものでありながら、リベラリズムのエートスの注目すべき再構成を行うものであった。出版から一世紀以上経った今もなお、この著作は再版され続けており、いまや現代左派リベラリズムの古典としての地位を不動のものとしている。ホブハウスは、ロンドン・スクール・オブ・エコノミクスで社会学の最初の講座を担当したことに加えて、当時の代表的なリベラル紙であった「マンチェスター・ガーディアン」の編集記者であった。論説をとおしてホブハウスは、いかにすればリベラリズムの一般規則が、現実にある重要な社会的・政治的問題に適用できるのかを示していた。ホブスンとともにホブハウスは、ニューリベラル達に支えられた社会的リベラリズムを支持する方向へと、進歩主義的な世論を誘導することに貢献したのである。

ホブハウスの理論の多くの部分は、社会進化の自然的帰結としての人間の調和という観念に依拠していた。この観念は、彼のなかにあった科学志向によって強められたものである。たとえば、彼のフィールド調査には、マンチェスター動物園での長期にわたる動物たちの観察も含まれていた。人間の合理性は活動的かつ目的志向的なものであると、ホブハウスは信じていた。人間の発展を強調するミルの論点をさらに推し進めながら、ホブハウスは楽観的にも人間の発展が、倫理的意識の増大と個人間の意識的で思慮深い相互依存性の双方を含むものだとみなしたのである。ミルにおいては発展が、個々人における自己の生への統制と自己の性格の成熟を意味したのに対して、ホブハウスは、進化論的な発展によって合理的な社会性が競争に取って代わることになると主張した。実際人間とは、進化の過程において生まれてきた存在のなかで、自らの進化を統制することのできる最初の存在だとされたのである。社会進化の終着点は自由な個人のみならず調和的な共同体でもあり、そうした共同体は、善意ある民主的な国家によって導かれるとされた。

ホブハウスのリベラルな構想の中心には、社会改革のプロジェクトがあった。同時代の社会は共通善の追求に失敗したがゆえに、その成員への責任を果たしていないように思われた。共通善のなかには、個人の発展のための機会を最大化することや、相互に対立する可能性がある諸個人の目的を調和することが含まれていた。共同体は、社会的な善の生産者であるとみなされたが、それは、その主たる善がその成員の幸福《ウエルビーイング》な暮らしであるからである。だが、ホブハウスのこうした議論は、興味深い結論を導くことになった。つまり、個々の市民のみならず、共同体それ自体も権利の保持者であるという見方である。個人の繁栄にとってなくてはならないニーズのあまりにも多くが、個人の努力によって達成できる範囲の外にあった。ホブハウスは進歩主義的思想家達の新世代に属していた。個人が自己の潜在力を発揮することを支援する権利を共同体が所有することを認めない限り、人間の成長と自己表現を促進するというリベラルな目的は達成されえないということを、この世代は認識していた。いまや自由は、社会的な協調関係と切っても切れないものとなったのである。

相互の援助は相互の寛容と同じように重要であり、集団的行為の理論は個人的自由の理論に劣らず基本的なものである。……個人の生命は、その個人が社会から切り離されるとなったら、それぞれまったく別の何かになってしまう……大多数の個人はまったく生存しなくなるだろう。(3)

こうした議論の背後には各人が、誰かに大事にされる個人でありかつ、持続的な社会集団の成員であるとする人間観があった。公私の領域はなおも区別されたけれども、社会の側における個人こそ、与え手としても受け手としても、一人ひとりの存在性にとって中心的なものだという認識があった。彼は、公的な権利である労働の権利と生活賃金の権利を擁護したし、失業保険と医療保険（ともに一九一一年に自由党政権が導入した）を支持した。そして、国民老齢年金制度を当初から熱心に擁護した者でもあった。しかしながらこれらは国家を、個人の自己責任に基づく決定を侵すものと位置づける議論ではない。国家はむしろ、物質的財の再分配をとおして個人のそうした決定を促進し、個人的な不運や社会的不公平によって不利な状況のなかにある人びとの生の可能性《ライフチャンス》を増す存在だと位置づけられた。国家がかくあることで、はじめてリベラルな社会はその成員への根本的な責任を果たすことができるのである。

個人の合理性が共通善についての共有された認識へと収斂していくことや、社会に調和がもたらされることについてのホブハウスの見解こそは、対立の克服に対する彼の信念を支える倫理的理想であった。第一次世界大戦が、束縛を解かれた暴力に満ちた戦場と、極端に干渉的な国家の復活をもたらしたが、こうしたことによって、彼がその人生の初期に抱いていた楽観的確信は、大いに揺さぶられることとなった。しかしながら、ホブハウスの確信の実質は生涯にわたり変わることはなかった。

ジョン・アトキンソン・ホブスン（一八五八－一九四〇）

これまで見てきた哲学者達に比べれば議論の厳密性に欠けるところはあるものの、J・A・ホブスンこそは、彼の世代のニューリベラル達のなかで最も独創的かつ想像力にあふれた思想家であった。彼は在野の作家でありジャーナリストであるとともに、影響力ある社会批評家かつエコノミストでもあった。彼はケインズ経済理論のいくつかの側面の先駆者であったことで知られ、イギリス帝国主義の苛烈な批判で公衆に強い印象を残した人物でもある。ホブスンによれば、過剰貯蓄と富の不平等な分配こそが、イギリスの人びとの購買力を全体として弱める要因であった。不十分な収入しか得られない貧困者は、尊厳ある生を送ることができない。こうした人びとの過少消費こそ、個々人の悲劇のみならず経済全体の危機をもたらすのであり、その一方で富裕者が、自ら費やせる以上の富を蓄積していくのである。帝国主義はある面ではこうした不平等の結果であった。なぜなら、余剰の富を持った金融資本家や製造業者達が投資先を海外に求め、経済的な貪欲さや攻撃性、軍国主義をさらに強め、そうした利己的な諸目的のために植民地の統制権を利用していたからである。

ホブスンのラディカリズムは、海外だけでなく国内にも力強い仕方で向けられていた。広範囲にわたるジャーナリズムと講演活動によって、彼は社会改革についての先進的な考えを普及させたのだが、そうした考えの多くは二〇世紀イギリス福祉国家のイデオロギーと実践に影響を与えたのである。他のリベラル達と同様にホブスンは、人間本性における個人的要素と社会的要素とのバランスを、生涯かけて模索し続けた。社会もまた価値の創出主体であり、生産者かつ消費者でもあるとする認識がそこから導かれた。彼は同時代のニューリベラル達よりもいっそう顕著な仕方で、社会有機体説に依拠した。友人ホブハウスの見解以上にホブスンは、社会がその成員と同様にそれ自体の生と目的をもっていると信じた。だが、ホブスンはこうした有機体のアナロジーが、リベラルな個人主義を強化すると熱心に主張していた。個々人の幸福な暮らし《ウエルビーイング》を涵養し、民主的調整を通した自己表現の機会を確保してはじめて、社会全体の健康が促進されるからである。

リベラリズムの思想への最も注目すべきホブスンの貢献は、『リベラリズムの危機』(一九〇九)に見出される。この書は当時において最も進んだリベラルな福祉の構想を提起し、「未来のリベラリズムが注力すべき、より十分で積極的な自由」を推奨するものであった。リベラルな国家は、人びとが自分だけでは調達できない必要物のすべてを供給すべきであり、労働の創造的で個的・芸術的な側面を発展させることができるように、個人を自由な存在にすべきである、と彼は信じていた。印象深い箇所でホブスンは次のように書いている。

いまやリベラリズムは公式にある任務に取り組んでいる。それは個人の生と民間事業との関連からとらえられる、国家に関する新たな構想をはっきりと含むものである。……過去のリベラリズムからの継続性を最もよく示す部分においてこの構想は、個人の自由のより十全な尊重と実現を志向しているようにみえるが、それは個人の自己発展に向けての平等な機会の提供という点に示されている。しかしながら、この個人的な側面には、社会的なものについての正しい認識が接合されなければならない。それはすなわち、個人の自己発展の要求や権利は、社会的な福祉のもつ至高の重要性とも調整されなければならない、という主張に他ならない。

この点をホブスンはさらに練り上げ、次のようにも述べている。「自由な土地、自由な移動、自由な力、自由な信用販売、安全、正義、教育。今日の文明生活を完全に享受するためには、これらすべての自由を実現しなければ、誰も「自由な状態にある」とはいえない」(4)。

仲間の左派リベラル達とともにホブスンは、ニューリベラリズムが社会主義とは非常に異なっていることを示すために尽力した。その理由はニューリベラリズムが、完全な国有化を拒否しているし、(社会主義者が支持するものと考えられていた)機械的で、均等化を目指し、中央集権的な統治へと傾く傾向も、はねつけているというものであった。しかし、現代のイデオロギー研究は、異なるイデオロギーのあいだに硬直した、不浸透性の境界線を引くことに否定的である。一世紀前のイギリスで推進されたリベラリズムは、概していえば、その中心的要素は社会民主主義的なものであった。当時、このリベラルな社会民主主義という変異が、リベラリズムの大家族のなかにもはっきりと存在していたのである。ただし、政党間の対立が激しさを増したことで、こうした微妙な濃淡は見えにくくなっていた。

以上四人のイギリスにおけるリベラリズムの思想家に加えて、時間を少し前に戻して、わたし達はメアリ・ウルストンクラフト（一七五九―九七）がリベラリズムに果たした重要な貢献も確認しておく必要がある。ウルストンクラフトは、政治エッセイスト、作家、教育学者、道徳哲学者であった。彼女は人間の合理性を情熱的に擁護したが、そのためには自由と政治的権利が不可欠であった。初期リベラリズムの伝統への彼女の貢献は、有名な『女性の権利の擁護』のなかでなされた。彼女はこの著作で、女性が教育をとおして理性的かつ独立した存在になるべきだと訴えた。教育によって女性達の社会的役割は飛躍的に改善され、女性達を善き市民、善き妻、善き母とするであろう。これは当時としては先進的な思想であったが、二〇世紀のフェミニスト達は、ここに示された伝統的な性役割、および女性は男性を真似すべしとのウルストンクラフトのメッセージから距離をおいた。だが、彼女はまぎれもなく、女性の権利と平等な身分を要求した点で、偉大なる先駆者であった。

女性は、男性と異なった義務を果たすべきであろう。それはわたしも認める。しかし、それは人間としての義務であり、その義務の履行を定めるべき原理は、男性と同じものでなければならぬ……女性が尊敬されるようになるためには、知性を働かすことが必要である。独立した性格を持つためには、それ以外の拠り所はない。

ウルストンクラフトはこう結論づけている。「女性にも男性と同じ権利を共有せしめよ。そうすれば女性は、男性と美徳を競うであろう。というのは、女性は解放された時、もっと完全な人間に成長するに違いないから(5)」。

より広範なリベラルのネットワーク

イギリスはたしかにリベラリズム思想の供給源ではあるが、大陸ヨーロッパとアメリカもまた、独自のリベラリズムのバリエーションを多くもってきた。ここではその代表的な思想家を何人か簡単にみておきたい。フランスでは、「リベラル」という用語の初期の使用者の一人であるバンジャマン・コンスタン(一七六七―一八三〇)が、二つの重要な議論をおこなった。一つは、一九世紀における商業実践の複雑なプロセスを背景とする、古代人の自由から近代人の自由へという自由概念の転換をめぐる理論である。コンスタンによればこの転換は、小共同体がもつ強い集権的権威の衰退と、それに代わる独立性と流動性の高い市民社会とよばれる領域の出現を意味する。リベラリズムは、個人的かつ自律的な機会と選択の増大と、あらゆる人のための物質的財の生産と繁栄のなかに、その姿を現していた。しかしながら彼の議論は、二〇世紀のリベラルな哲学者達が見出すことになる、リベラリズムには本質的な普遍主義があるという要求とは、何の関わりもないものであった。むしろそれは、具体的な社会状況の変化に応じたリベラリズムの歴史的変化をめぐる、経験的観察に基づいた議論であったのである。

第二の論点は、法の下の平等である。これは立憲的代表制、平和、恣意的な統治からの自由と関わる。コンスタンはこの論点を、経済活動への政府介入に対する強い抵抗と結びつけたが、それは商業社会が自由放任のもとでもっともよく機能するとみなしたからである。代表制が不可欠だとされたのは、諸個人が富の創出にいそしんでいるので、政治への直接参加が不可能となっていることを鑑みてのことであった。しかしながらきわめて重要なことに、この富の創出は個人を解放し、文化的かつ精神的な営みへと向かわせ、リベラリズムが可能にするとされる、文明的な性格の維持をもたらすのである。以上のことを、コンスタンは次のように説明した。

近代人の目的は、私的な快楽のうちに安寧に暮らすことであり、彼らが自由と呼ぶのは制度がこうした快楽に与える保証であります。……繰り返しますが、個人的自由こそ真の近代的自由であります。政治的自由はその保証であり、政治的自由が不可欠となるのはそれゆえなのです。しかし今の諸国民にかつてのごとく、政治的自由のために個人的自由の一切を捧げよと求めるのは、彼らをその一方から引き剥がす最も確実な手段です。そしてひとたびそこに手を伸ばしたなら、他方を奪うのに躊躇はしないでしょう。(6)

ドイツでは一八世紀が終わりつつあるころ、哲学者で言語学者のヴィルヘルム・フォン・フンボルト（一七六七―一八三五）が、国家干渉の限界についての論文を発表した。それが半世紀後に英語に翻訳されると、ミルに深い影響を与えることになる。同論文の第二章の出だしは、ミルの『自由論』にすべて引用されている。

人間の真の目的――これは有為転変する性向ではなく、永遠不変の理性が人間に示してくれるものである――とは、自分の諸能力を最も均斉のとれた最高の形で一個の全体へと陶冶することにある。(7)

フンボルト、そしてミルにとって、自由と多様性は、個人の完全な発展にとっての二つの前提となった。同時代の多くのドイツ哲学者と同様に、教養、教育、そして啓蒙（これらはみな *Bildung* というドイツ語に包摂された）は、十全な生にとって中心的位置を占めるものとみなされた。これらのおかげで、自発的な活動という枠組みをとおして、道徳的な力と知的な力の陶治がもたらされるのだ。また何にもましてフンボルトは、個人の自由と進歩の促進にかなうかぎりで、できるだけ多くの政治的・法的規制を撤廃すべきだと訴えていた。ある意味で彼の理論は、ドイツ人以上にイギリス人にとってより受け入れやすいものであった。近代のごく初期の段階から、イングランドの政治思想は、他者への危害を伴わない限りでの個人の行為の自由を強調し続けていたからである。これに対してドイツの政治思想は、法の役割——および法の支配——への深い尊重を発展させたものである。つまり、それがリベラルな文脈であるかどうかを問わず、社会的に受け入れられた合理的目的へと個人の行いを差し向けるものとして法が重視されたのだ。だが同時に、自由にとって必要な、したがって国家干渉の最小化にとって必要な、適切な契機を確立しうる程度までに教養を獲得すべきだという主張もまた、ドイツ政治思想の根本原理の一つとなったのである。

ドイツ社会学におけるきわめて重要な人物であるマックス・ウェーバー（一八六四—一

九二〇）の思想も、リベラリズムにあるもう一つの側面を示している。ドイツのブルジョワジーと国家の社会学的・歴史学的分析から、ウェーバーは次のような結論を導き出した。過度の官僚制化から社会を守るためには、責任感があり、献身的かつ倫理的な指導者の一群を社会は必要とするという結論である。カリスマ的指導者は、政府の権威主義的な側面をなくそうとする大衆デモクラシーによって支持されることで、個人主義の保証人になるだろうと、彼は主張していた。ウェーバーのこのようなエリート主義的なリベラリズムは、多くのリベラル達が触れようとしない問題に光をあてるものである。〔ウェーバーの議論が示しているように〕リベラリズムはミドルクラスの産物なのであり、リベラリズムの価値は――たとえ進歩派の人びとに好ましいものであっても――基本的には文化的マイノリティ達が選択・形成したものなのだ。つまり、教育があり、政治的にも意識が高く、比較的に裕福な人びとである。それはもちろん法の支配を尊重するリベラリズムでもあるが、はっきりと平等主義的なものだとは決していえないたぐいのリベラリズムなのである。

ウェーバーのリベラリズムには、彼の同時代人であるフリードリヒ・ナウマン（一八六〇―一九一九）のそれと同様に、強力なナショナリズムの浸透もみられる。これは他のリベラリズムには――まったくないわけではないが――あまりみられない特徴である。国民の自己決定〔という観念〕が一九世紀ヨーロッパのリベラリズムにおける一つの支柱であったことは事実であるが、国民の力と繁栄というものに対してウェーバーとナウマンが示した熱狂は、それを凌駕するものであった。ただし、単に力の増強のみが国民の目的であるわけではない。国民とは、一国の技量、専門性、エートス、そして精神の保管場なのであり、ウェーバーの言葉を借りれば、「深く根づいた心理的基礎に基づくもの」であった。国民国家とは、理性的な国家と、しばしば非合理的な、もしくは理性を欠いた「国民(*Volk*)」とがバランスを取り合う場なのだ。ナウマンはまた、より社会的なバージョンとでもいうべきもう一つの流れを、ドイツのリベラリズムに付け加えた。計画、組織化、福祉的目的の達成に向けられた彼の関心は、経済的近代化の重要性や、共同体全体における産業的・技術的進歩の必要性を認めるものであった。しかしながら、これらのことがらを個人の倫理的発展よりも優先してしまったことで、ナウマンはリベラリズムから逸脱する瀬戸際にいる存在となった。人格の発展にその関心が向いたときにのみ、ナウマンはリベラルの陣営に位置づけられうるのである。

歴史学的・社会学的具体性というものがドイツのリベラル達をとらえた一方で、大陸のリベラリズムはイタリアのベネデット・クローチェ(一八六六―一九五二)によってもっと思弁的な性格を与えられた。クローチェはいっときは政治家でもあった哲学者であり、ヘーゲルを研究し、大きな影響を受けた。クローチェは、ファシズムへの支持からリベラリズムの擁護へと移った人物でもある。『政治と道徳』——主に一九二〇年代に書かれた論考集である——でクローチェは、壮大なるリベラリズムの構想に賛意を示しているが、それはリベラリズムを、特定の政治的教義というよりも、「世界とリアリティについての完全な見方」とするものであった。他の著名なリベラルの理論家達のほとんどと異なり、クローチェはリベラリズムに神的な賢慮の、すなわち高次の道徳性の現れを見出した。しかしそれは、共通の人間性の観念に依拠する社会主義が示すような、平等への「数学的で機械的な」傾向性を拒否するものでもあった。実際リベラル達にとって、財の所有権と分配に不平等があっても、それが探求や批判的精神を抑圧しない限りは許容されうるものなのであった。クローチェはまた、人間を改善に向けて努力する存在である一方で、不完全で誤りを犯しうる存在ともみなした。

リベラリズムのこうしたヒューマニスティックな側面は、議論の余地なき倫理といったものを奉じることで、実験や仮説を重んじるというリベラリズムの特徴に対抗するものである。これらの両面を備えたクローチェの思想は、ある種の弁証法的緊張をはらむものであった。つまり理想主義的思想の側面と、現実感覚の鋭いリベラル達がしばしば見出す人間の行いの不確かさや脆さに着目する側面との緊張である。人間の進化を滑らかなものとみなしたミルやホブハウスと比べるとクローチェは、後退・困難・敵対性を、リベラリズムが直面し考慮しなければならない、そしてリベラリズムの精神が究極的には克服すると思われる、現実世界の諸要素だとみなす傾向がはるかに強かった。イタリアでファシズムが台頭し、大陸でさまざまなタイプの権威主義が勃興するなかでのクローチェの観察は、とりわけ切実さを伴うものであった。

リベラルな精神は、自由の後退と反動の時代を病として、また成長にとって決定的に重要な段階として認識する。それは自由の永遠な生のなかの出来事であり、段階である。リベラルな構想は、臆病者、怠惰な者、不戦主義者のためにあるのではない。リベラルな構想は、人間の前進を願い、そのために必要な労苦と歴史に思いをはせる、勇敢で忍耐強い魂や、好戦的で寛大な魂の、熱望や活動を解釈することを欲するのだ。

イタリア語の用法は、便利なことにリベラリズモ (*liberalismo*) とリベリズモ (*liberismo*) を区別してくれる。これはクローチェとイタリアの経済学者で政治家でもあったルイージ・エイナウディ (一八七四―一九六一) の有名な論争で中心的争点となったものである。リベラリズモはリベラリズムにおける成熟した政治と倫理の側面にかかわる構想であるのに対し、リベリズモは経済と自由な企業経営の側面にかかわる構想である。ドイツ、そしてより顕著であるがフランスの文脈では、これら二つの側面が――エイナウディの議論でみられたように――過去においても現在でも混在する傾向がある。他方、クローチェはこれらを区別しようとした。第三章でみたように、経済的リベラリズムがそれのみでリベラリズムの一家のメンバーとしてみなされるうえで、十分な資格を満たすかどうかは、議論の余地ある問題である。クローチェが簡潔に述べたように、「自由な企業経営のシステムに、規範としての価値を与えるやいなや困難が生じる」からだ。それ〔＝経済的リベラリズムに独立した地位を与えること〕は、経済的リベラリズムとは異なる規範、つまり、効用についての利己的で快楽主義的な想定に基づかない規範の集合に基づく、倫理的・政治的リベラリズムとの衝突を生み出すからである。(8)

カルロ・ロッセッリ（一八九九―一九三七）は、イタリア社会主義の思想家かつ活動家であり、最後はムッソリーニの命令で殺された人物である。きわめて深刻な生命の危機に身をさらしてもなお、全体主義への反対を表す勇気をもっていた彼のような大陸における反体制側のマイノリティ達にとって、苦境や、あえて言うなら抑圧が、〔さらなる活動や思考への〕肥沃な土台たりうるものであった。このことを脇においても、ロッセッリは注目に値する人物である。それは彼の思想の内容が重要であるのみならず――彼自身の思想だけを取り上げるなら、彼は主要な思想家ではないと評価されるかもしれないが――、彼が左派リベラリズムを比較の観点から位置づける際の難しさを体現した人物だからである。左派リベラリズムと穏健な社会主義または社会民主主義との境界線はきわめて曖昧であり、隣りあったイデオロギー的立場が占める空間は、かなりの程度において重複しているものなのだ。事実、クローチェはホブハウスおよび彼が唱えた「リベラルな社会主義」を礼賛していた（もっとも、ホブハウスの思想的位置は「社会的リベラリズム」と呼んだほうがより正確だろうが）。ロッセッリも一九三〇年に出版した『リベラルな社会主義』と題した本によって有名になった。社会主義の要諦は自由の道徳的意義にあるとみた彼は、クローチェと同様に、反ファシストの立場と国家統制型の経済に敵対する立場を統合するような、知的・政治的立場の確立に努めた。ロッセッリはまた、穏健な社会主義をリベラルな価値の後継者でありかつより善き実践者だとみなす見解を、ドイツのエドゥアルト・ベルンシュタインらのような社会民主主義者と共有していた。デモクラシーの実践と自己統治に基づきながら、教条的な自由市場への依存から解放された政治的リベラリズムは、社会に新たなイノベーションと運動の可能性をもたらすとされた。

その本質的な点で理解されるなら社会主義は、自由と正義の理念を人びとのあいだで発展的に実現することを目指すものである。……また最も端的な意味においてリベラリズムは、人間精神の内なる自由を前提としつつ、個々人が自己の人格を完全に発展させることのできる場であるところの他者と共有する生が目指す究極的目標として、そしてまた同時にそうした生のための究極的手段および規則として、自由を位置づける政治理論だと定義できる。……リベラリズムは自由を自然的事実としてではなく、生成として、発展として認識する。人は自由な存在として生まれるのではなく、自由になるのだ。自己の自律を積極的かつ注意深く守ること、自己のさまざまな自由を実践し続けることによって、人は自由であり続けるのだ。……自由の名を用いながら、〔社会主義者は〕個人の効用という利己的基準によってではなく、集団的な善という社会的基準によって、わたし達の社会生活が導かれていくことを望むのである。(9)

個人の発展や、社会のなかでの人格の形成、共通善の探求、そして個人の自由の対象としての他者との共同の生といった、イギリスのリベラル達にみられる思想的要素と、ロッセッリのそれの一致は、クローチェにみられた深い精神性の思想との共鳴とあわせて、きわめて印象的なものである。

アメリカの哲学者であり教育学者であったジョン・デューイ（一八五九―一九五二）も、重要なリベラルの理論家である。彼が思想を築いたアメリカの文化的環境は、ヨーロッパのリベラル達のそれとはきわめて異なっていた。まず、二〇世紀アメリカのリベラリズムは、ハーバート・クローリーの著作に代表されるように、進歩主義（革新主義）とナショナリズムの珍しい混合物であった。それと同時に、アメリカにおいてリベラリズムという言葉の与える印象は、ヨーロッパの民主政体においてこの言葉がもっていたそれよりもさらに悪いということもしばしばあったのである。というのも、一九三〇年代のニューディール後にリベラリズムが与えた印象は、巨大で干渉的な政府のそれであり、最悪の場合は個人の主体性や独立を奪うもの、あるいは政治的論争のなかで明確な立場をとる力を個人から奪うものとして描かれたからである。デューイはプラグマティズムとして知られる哲学の一派に所属しており、特に『自由主義と社会行動』などに示された彼のアプローチは、経験に基づくきわめて実験主義的なものであった。デューイにとってリベラリズムとは、実践をめぐる一連の観念のかたまりなのであり、それは歴史に条件づけられる相対的なものであって、何か解明されるべき普遍的で不変的な真実を含むものなどではなかったのである。

デューイは個人と政治社会とのあいだに区別を設けることを拒否した。彼は一方では、リベラリズムの理想が共通善や自由、個性であり、個人がその能力を最大限成長させるべきとする要求であると宣言した、グリーンや彼の後継者といったイギリスの哲学者達の議論を重要なものだと賞賛した。だが他方では、リベラルな価値を具体的な集合的行為の産物だとみなす姿勢を崩さなかった。抽象的な精神的本質などではなく、人間の知性こそが、リベラリズムを前進させるのだとみなしたのである。

リベラルなプログラムというものが、まず作られることが先決である。しかもそれが入念にそして徹底して、リベラルな種類の直接的政治行動があとに続くまで、政治の外にあり、公衆の意識にまで届くことが必要である。……今日、リベラルをもって自認する多くの人びとは、組織社会は大衆が単に法律上のものではない実質的な自由を保有できる条件を整えるために、その権限を用いるべきであるという原則に忠実である。

リベラリズムを地に足のついたものとすることで、デューイはリベラリズムをより人間的なものにしたのであり、自然権理論や政治経済学がリベラリズムに押しつけてきた厳格で空論的な制約から、リベラリズムを解放したのであった。リベラリズムは、経済活動を自らのものとすることを必要とする。だが、資本主義の厳しい批判者であるデューイは、経済活動が諸個人のもつより高次の能力に従属させられるようにしなければならないと主張した。実際、経済生活で発揮される独創力や活力は、「人間関係、科学、芸術」でも重要なものであるが、その点は無視され、経済にのみ適用される能力だと、誤って考えられてきたのだ。とりわけデューイは、個人の活動と人間の結合体《アソシエーション》との分かちがたさを強調したが、これは、個人のあいだに相互扶助と相互寛容があることと、「集合的な社会計画」を求める社会の有機的相互依存関係とを分かちがたいものとみた、ホブハウスを彷彿とさせるものである。他方で、デューイの経験主義は、ホブハウスがそれほどはっきりとは思索を深めなかったリベラリズムのもう一つの側面——これは他のイデオロギーにも共有されている側面ではあるが——にも光を当てるものである。すなわち、リベラルな諸観念を実りあるものとするためには、感情面での力強さも必要だという点である。情熱による支持がないとき、理性それのみでは政治的イデオロギーの効果は弱いままなのであり、このことはリベラリズムにも当てはまるのだ。(10)

わたしはこの章を、経済学者であり哲学者、政治思想家でもある、一九七四年にノーベル経済学賞を受賞したフリードリヒ・アウグスト・フォン・ハイエク（一八九九—一九九二）の思想を評価することで閉じることにしたい。たしかにハイエクを、リベラリズムの年代記のなかに記すべきかには論争の余地がある。彼の存在によって確実に明らかとなったことの一つは、リベラリズムの知的遺産をめぐって継続的な争いがあるということなのだ。ハイエクをリベラルとみなすべきか（彼自身はそうだと主張していた）、保守主義者、リバタリアン、あるいはこれらのハイブリッドとみなすべきかという問いは、それ自体が学術的のみならずイデオロギー的な解釈実践の問題である。この問題には、ハイエク自身も二つのかたちで積極的に寄与していた。つまり第一に、彼自身が展開したリベラリズムの歴史をとおして、そして第二に、リベラリズムについてと、リベラリズムのなかでの自由の位置について、彼が展開した議論をとおして、である。

ハイエクにとって、リベラリズムの全盛期は一九世紀中葉であった。イタリアの『二〇世紀百科事典』に投稿された示唆に富む論文のなかで、彼はクローチェが設けたリベラリズモとリベリズモの区別を拒絶し、法の下での自由はただ単に個人の経済的自由を意味するのだと主張した。またグリーンと異なり、リベラルにとっての自由を、悪の不在を意味する、消極的な自由の構想だとした。そしてここでの悪とは、個人を特定の目的や利益へと差し向ける政府の悪を指している。かくしてハイエクは、リベラリズムが一八七〇年代以降、衰退し始めたと論じる。この時期以降、とりわけニューリベラリズムの影響下にあった二〇世紀初頭には、「社会政策の分野で、かつてのリベラリズムの原理と相いれるのかが疑わしいような新たな試みが行われた(11)」からである。かかる過去のリベラリズムの原理こそ、ハイエクが深く共感したものであった。ハイエクにとって、リベラリズムは、このリベラとは自由、法、財産から成り立つ概念的集合体であり、福祉リベラリズムは、このリベラルな原理からの逸脱だと解釈された。同時に彼はまた、進歩への信念については「あさはかな心のしるし」(12)だとして、一顧だにしなかった。

わたし達はここで、時を経た変化という、恒久的な問題へと突き当たる。果たしてリベラリズムは――あるいはどのイデオロギーについても問えることだが――、ある一連の根本的な信念群の問題なのだろうか。すなわち、ある起源的な教義が一方に模範としてあって、他方にはそこからの嘆かわしい逸脱があると解釈されるべきなのだろうか。あるいは、リベラリズムは、デューイがとらえたように、ある諸価値から成る緩やかな中核的部分と、その周辺にあり常に進化し変化する一連の思想のかたまりのことなのだろうか。ハイエクは確固として前者を支持した。だが、思想が変化することを認めない彼の態度は、リベラリズムの中心に純粋かつ抽象的な原理を見出した哲学者達――近年ではジョン・ロールズやロナルド・ドゥオーキンが思い浮かぶであろう――の立場とも異なっていた。ハイエクは、いかなる主張がリベラリズムの主張として最適であるかは、試行錯誤を伴う経験によって定まる問題だととらえた。だが、いったん問題が解決されれば、もはや変更の余地はなくなるのである。

ハイエクの論考にみられる自由の重要性は、彼が信じるところである人間の自然的自発性と社会経済秩序の自己生成性から導かれていた。彼はこのような秩序をカタラクシーと呼んだ。人間の知識は拡散的なものであり、いかなる単体の指令的権威によっても独占することのできないものである。そしてこのことは、国家にもあてはまる。ある単一の計画や青写真にしたがって、あらゆる経済活動に対して中央集権的な統制をするならば、革新性をもつ諸個人の目的性や合理性は取り返しのつかないほどに破壊されてしまうだろうし、社会に貢献しうる人間のさまざまな思想の交換――つまり思想の市場――は貧相なものとなるであろう。ハイエクが抱いていたのは、活力があり楽観的でもあった第二層のリベラリズムの構成要素であった。かくして、個人の自由こそが経済的社会的繁栄にとって不可欠なものであったが、それは進歩が中央からの設計に服するものではないからである。そして社会正義〔という用語〕は、言語の矛盾であった。*1 ハイエクは、自身の立ち位置を示すのに「開かれた社会」という言葉を借用した。より幅広いリベラリズムへの解釈との関連でいえば、彼は第四章でみたリベラリズムの中核的要素のなかで、自由概念が専有する空間を押し広げたのであり、その際、その他の多くのリベラリズムの中核的概念を犠牲にしたのである。この中核的部分のなかで、自由概念以外で彼が保持したのは、制限された立憲的権力と、実験的なイノベーションという個性についての限定的な考え方に限られたのである。

リベラリズムは……個人の状況を左右するような手続き、あるいはゲームのルールが公正である（少なくとも不正ではない）ことを求めているのであって、個人にとってのこの手続きの具体的結果が公正であることを求めているのではないのである。[13]

リベラリズムのあらゆる公準の基礎となりうる中心的な信条は、社会問題に対する最善の解決策を見つけるには、だれか一人の特定の知識に頼ることなく、人びとの交流による意見交換を奨励して、より善い知識が生まれてくることに期待したほうがいい、というものであるといっていいだろう。[14]

【訳注】

＊1　ハイエクにとって正義は、人間個人の行為がルールに従っているかどうかに関わる問題であり、社会のあり方に関する問題ではなかった。社会、とりわけ市場は、人間の意図に基づいて計画的に構成されるべきものではないのであり、したがって社会は、ある種の自然的存在であり、正義に適っているかどうかの判断に服さないと彼は主張した。

第六章

哲学的リベラリズム——正義の理想化

基本的前提

リベラルの思考と理論化に関するもう一つの世界が存在する。それは〔これまで論じてきたリベラリズムと〕並行関係にあるが部分的には別のものであり、その大半はアカデミズムの壁の内側で生じている。リベラルな政治哲学は、リベラルの言語内部に存在する特定の部分集合である。それはイングランドの哲学的伝統に強固なルーツを持つものの、比較的最近ではこの運動は大まかに言ってアメリカのものとなっている。アメリカのリベラルな政治哲学者達は、自国特有の憲法上の取り決めに共鳴しており、アメリカの出版界がもつ世界的影響力とその主要な大学の豊かさに支援されるかたちで、しばしばリベラリズム全体を代表するものと誤って考えられてきた。ただもっと肝心なことには、リベラルな政治哲学は現在、リベラリズムの創造的で精密な理論化の実例を提供しているのであり、それはたとえリベラリズムのアメリカ固有の意味合いが、皮肉なことに、当地におけるもっと広い政治的言説のなかでは頻繁に攻撃を受けているとしてもそうなのである。かつてリベラリズムが繁栄した時代は、一世紀前にイギリスのニューリベラルとリベラル左派達のあいだから生じたが、このリベラリズムは実際の政治生活と改革への関与の度合いが非常に大きく、それゆえ、活動志向的で集団支援的な政治的イデオロギーの典型的な事例としての役割を果たしていた。第三章の議論が、不連続で重なり合う、そして徐々に強くなる、具体的で、政治に関与する、一連の歴史としてのリベラリズムに関係していたとすれば、哲学的リベラリズムの政治的影響力は、その基本前提によって部分的に無効となっている。概してそれは、表向きでは政治を超えた、普遍的で、コンテクストから切り離された、すべての正しい考えを抱く個人が目指すべき社会倫理を呼び出す、抽象的で理想型的な規範的アプローチである。たしかに、二〇世紀に繁栄したリベラルであると称するもう一つの思想——ネオリベラリズム——があるが、第七章で見るように、その主張は疑わしいものである。

哲学的リベラリズムは、正統性をもちかつ倫理的に魅力的な社会的取り決めを構築するための議論を提示するが、その際にいくつかの中心的な問題領域に焦点を当てている。第一に、哲学的リベラリズムの大部分を占めるのは、正義にかなう社会の形成（に関する議論〕である。第二に、哲学的リベラリズムは個人が合理的で自律的かつ目的を有する行為者《エージェント》であると想定しており、それらの属性を促進するように設計されている。第三に、哲学的リベラリズムは、その成員すべてが賛同できるまっとうな《ディーセント》社会の正当化を模索する。哲学的リベラリズムは意思決定への大規模な参加を強調することでこの正当化を模索するが、同時に、人間の合理性と公平さへの訴えに基づいた共同の政策が大枠において合意を得られるという見通しを抱いている。第四に、哲学的リベラリズムが明確な仕方で定式化されるとき、その多くは国家に関する特定の見解をそなえており、市民が抱く多様な善の構想のあいだで中立性を保つという政治的目標の確保を、国家に委ねている。

これらすべてをまとめると、人びとには、以下の三段階のプロセスを通じて自らの選好を表現する機会が与えられねばならないことになる。まず、個人には投票権だけでなく発言権も与えられるべきである。人びとは自分達の意見を明確に、妨げられることなく表現するよう奨励されるべきである。第二に、人びとは自分自身の運命をコントロールできるように、公共生活のなかで役割を果たすように促されるべきである。したがって、積極的な政治参加を促進する必要がある。第三に、人びとは自分が尊重されることを望むのと同じように他の人びとを尊重すべきである——これは承認《リコグニション》と呼ばれる。承認は、個々人のユニークさ、尊厳、価値を受け入れるうえで象徴的な価値をもつと同時に、所有と利益の配分にも重要な結果をもたらす。これらリベラルの原則はすべて、理性と倫理的直観の行使を通して発見されるべきものとして存在する。

哲学的リベラリズムは強い意味で普遍主義的であり、道徳的真理の存在を仮定することをためらわない。それは自らを、優位を競い合う数多のイデオロギー的信条の一つではなく、個人の善き生と社会の文明的生活のための処方箋だと、要するに、政治的な争いという偶然事の水準よりも上位に位置するものだと考えている。事実それは高尚な道徳体系なのであって、この見方によればリベラリズムとは、政治から隔離された社会倫理と端的に同一視できるものにほかならない。しかしながら印象的なことに哲学的リベラリズムは、それ独自の説得力を培ってきたのであり、その結果、より通俗的なリベラリズムの表象をしのぐことになったり、そして少なくともより知的なリベラルの支持者のあいだでは、そうした表象を形無しにしたりすることが、しばしばあるのだ。

これらすべてが新しいというわけではない。何世紀にもわたって、このような分析的－哲学的モデルは、リベラリズムを直接的で普遍的な合理的魅力を備えた、望ましい人間行為の枠内に固定してきたが、その枠組みは、リベラリズムを脱文脈化し、現実生活にある予測できない変動から距離を置くようにするものなのであった。社会契約理論は、人間本性を理性的かつ紛争回避的なものとする特定の考えに根ざした政治社会を設立する根拠を確立した。人間の繁栄に関する心理学的アプローチが明記したのは、自己利益を最大化せんとする衝動を、すべての人に役立つような社会のために利用できるということだった。

だが、リベラルな政治哲学は、マイナーな知的産業であることを鑑みると、ここ数十年で異常なほどの隆盛を経験してきた。それは特に、重要な財の公平な分配をするための企てを開始するのに必要な思考実験を生み出すことに、その技巧を示している。こうした〔思考〕実験は、リスク回避的な諸個人が自分達の社会的状況や能力の大部分について、そもそも無知であったらという仮定を置いた場合に、彼(女)らが自分自身や他の人びとについて何を望むことになるのか、という仮説を展開するものである。

ロールズの哲学的実験室

二〇世紀の哲学的リベラリズムを主導した最も影響力のある理論家はジョン・ロールズ(一九二一―二〇〇二)である。ロールズの有名なフレーズ「正義は社会制度の第一の美徳である」(1)は、リベラルな諸価値の再評価に関して大きな反響をもたらした。リベラリズムの他の異種においては、第一の美徳は自由かもしれないし、プライバシー、幸福、進歩、あるいは個性かもしれない。ロールズにとって、リベラリズムの本質は二つの要素で構成されている。一つはリバタリアンなもの、もう一つは平等主義的なものである。リバタリアンの要素は、個人が自分の人生について、より自由であるだけでなく、より反省的で分別のある選択を行えるようにすることを志向する。この要素は第四章で述べたところの、自律としての自由の構想である。平等主義の要素は、リベラリズムの理論に対するロールズの最も独創的な貢献である。それは社会正義の基本条件が満たされることを主張する。つまり、それなしでは個人が自律的な目的を追求し、自分で選んだ善き生を送る実質的な可能性が失われるような、必要な諸々の資源を各個人に与えることである。それは、社会のすべてのメンバーの平等な自由を確保することだけでなく、最も恵まれない人びとに利益をもたらすよう設計された財の再分配（富とサービスから利益を得ることについて、彼（女）らは他の人びとに対して優先権をもつ）をも含んでいる。この議論は、個々の状況が自然的運《ブルート・ラック》の結果であるかぎり、正義にかなう社会では恵まれない人が補償されるべきである、というように続く。この運は遺伝によるものかもしれないし、地理的な意味での当該地域の肥沃さを反映しているものかもしれないし、自分が生まれた家族が持っている財力に関係しているものかもしれない。ただし「最も恵まれない」というのは、政策の指針としてはとらえどころのないカテゴリーのままである。というのも、富、健康、知性、美貌といった、人間の生の可能性《ライフチャンス》を決定する顕著な基準のいくつかを挙げたとして、こうした多様な尺度すべてに照らして、不幸な地位を占めている個人が誰なのかを特定するのが非常に難しいからである。人はある尺度では恵まれており、別の尺度では持たざる者である可能性があるので、決して最終的な結論へと導けないような、何らかの比較考量を必要とするのである。

ロールズが彼のリベラリズム解釈において正義から公正さ（公平さ）へと移行することは偶然ではない。ロールズは、社会全体のための正義などという大言壮語を論じるのではなく、個人が、それが誰であれ、公平な仕方においてどのように処遇されたいと望むのかという問いに関する、個人レベルの小規模な反省を正義論の起点とし、その反省をすべての人に適用していくという、より控えめなやり方で正義にアプローチしている。彼は方法論的個人主義に依拠する思考実験を採用する。つまり、彼または彼女の社会環境から抽象化された個人だけを、その分析の単位として措定しているのである。ロールズが「原初《オリジナル》・状態《ポジション》」と呼ぶもののなかでは、各個人は、社会における地位、所属する集団、生の可能性など、自分自身の特質の大部分について知らない状態（無知のヴェールの下）におかれる。しかしながら、そのヴェールの下においても各個人には二つの特性、すなわち合理的であることと、リスク回避的であることが付与されている。これらに加えて個人には、正義感覚と善の構想をもつという、二つの前‐社会的な道徳的力能《パワー》がある。〔原初状態のなかに仮定された、〕これらの属性を備えた諸個人は、自分自身と他者の両方のために何を望むのかについて決定をすることが期待されている。ロールズにとって、これは公正な政治システムがどのようなものであるべきかを探るうえで、最適のアプローチなのである。

二つ目の道徳的力能には、何が自分にとっての合理的な利益なのか、もしくは何が自分にとっての善であるのかに関する、何らかの構想を形成し、修正し、追求する能力が含まれるが、このことは、人びとは感情的ないし非合理的な要因によっても動機づけられるという、他のリベラルな観点がますます受け入れつつある事実を無視している。第七章で説明するように、リベラルと呼べる人びとのあいだでも感情は思考と行動の本質的な一部である。哲学的リベラル達は、個人が完全な仕方で知的に活動すること、特に道徳において知的に活動することを切に望んでいる。彼（女）らは、福祉国家派のリベラル達がその思考に組み入れた人間の意志の弱さや、人びとを動機づける情念——ときに道徳的感受性を強化し、ときに損なうような情念——にはほとんど注意を払っていない。おそらく、自分の人生計画を繰り返し再評価するという負担を背負おうとする個人など、ほとんどいないのである。これは一九〇七年に、間もなく英国首相となろうとしていた自由党のハーバート・アスキスによって見事に指摘された点である。彼はT・H・グリーンの講義に出席したことがあったが、この哲学者のメッセージに対して次のような懐疑的な応答をしている。「国家と相対するすべての人には、自らを最大限に活用するという権利と、共同体の厄介者や危険人物とはならないという条件つきではあるが、自らをそれほど活用しないでいるという権利の、両方があるとわたしは信じている」。(2) これとは異なりロールズにとっては、無知のヴェールの下での二つの道徳的力能がもつ効力は、ある社会の十全なる協力的な成員として行為する自由で平等な人びとのあいだに、公平な秩序を作り出すことにある。〔政治に〕特有の紛争や異議申し立ての存在は最小化されているのだが、それは、合理的な協力関係〔という想定〕が社会生活の初期設定にまで引き上げられているからである。つまり、合理的な協力関係が、人間行為の規範となっているのである。

リベラリズムの平等主義的な構成要素——それは旧い層に属するリベラリズムの中心を占めることはめったになかったし、そのようなことがある場合でも暗黙の要素であった——が、最近の哲学的議論の多くにおいて、論争の中心を占めるようになっている。なぜならリベラルな社会は、重要な社会的財へのアクセスを寛大な仕方で万人に保障するものだと、いまや考えられているからである。このリベラルな平等主義は、通常、根本的な平等化という社会主義的な政策までには至らない。それは人間的な生活のための最低限を保障し、公私双方の再分配措置——国家、雇用主の行動規範、慈善団体などの自発的結社——の組み合わせを通じて、幸運な人と恵まれない人のあいだの格差を縮小することで満足する。しかしながらこの平等主義は、豊かさの点での格差を、それが人が生きていくうえでの見込みに影響を与えるものであるにもかかわらず、許容することはいとわない。リベラルと呼べる人びとのあいだで、自由、平等、正義に関する多くの意味づけが許容されていることを考えると、リベラリズムの現実的で歴史的な前提諸条件と諸目的の特徴づけとして、ロールズ的な指針にもっともらしさがあるのは間違いない。だがこれは、第一義的には公正（公平）でまっとうな社会なら必ず実行すべき取り決めについての（他のほとんどのリベラルな政策と比べてもそれ以上に）作為的に定められた展望（またはロールズがときおり「現実的なユートピア」と呼ぶもの）なのである。特に現在の哲学者は、同様のことがらに関わる政治理論家の大多数とは異なり、複数形ではなく単数形でリベラリズムに言及する傾向がある。彼（女）らはリベラリズムの解釈と優先順位について議論する必要はないと考えている。リベラリズムは、自由で秩序だった共同体にとって必要だという合意を得られた規範的諸要件の内容を煎じ詰めたものであり、長期的な安定性を保障するものだと考えられている。

左派リベラリズムと理想型リベラリズム

ロールズ的な哲学的リベラリズムには、第四層のリベラリズムと類似している点がいくつかある。両者とも、正しく思考する人ならすべてが同意するような内在的な調和とコンセンサスがあるという、強い考えを是認している。そして両者とも、社会のなかで周縁化され恵まれない立場に置かれた成員にとって有利に働く社会政策に、かなり重点を置いている。だが、類似性があるのはここまでである。ロールズ版の哲学的リベラリズムは人間の思考と行為をモデル化する仮説上の想定に基づいているため、特殊な、想像上の、文脈から自由な思考の働きによって即座に達成可能である。第四層のリベラリズムは、不完全ではあるが現実の、そして苦労の末に獲得された、ラディカルな諸政策の結果であったが、この諸政策によって漸進的で段階的なプロセスのなかで福祉社会の緩慢な台頭が実現したのである。特に、ロールズの分析は社会集団——第四層のリベラルが個人の能力と性格に大きく貢献するものとみなしたもの——から人為的に隔離された個人に基づいているが、この点は、無知のヴェールが人間の行為を有用なかたちでモデル化し、社会的取り決めの基礎を形成できるとする彼の信念に起因している。

現代の哲学的リベラリズムに顕著な強い個人主義は、リベラリズムと共同体主義とを二分するためにも用いられてきた。強い個人主義が奉じるのは、独立して自己を実現できる合理的な個人を強調する主張と、個人と社会——それが小集団や近隣、または社会全体であることもある——との結びつきに焦点を合わせるべきとする主張を、截然と峻別することである。この二分法は、リベラルな伝統、特にその社会的リベラルの様態（多くの哲学的リベラル達が気づいていないように思われる様態）が、これら二つの傾向のあいだにある程度の宥和を達成してきたことを無視している。哲学的リベラリズムにある脱文脈的な無時間性、その歴史への無関心のゆえに、個人を構築するものである社会的諸関係が変遷することの重要性が軽視されてしまう。哲学的リベラリズムはまた、リベラリズムがその優越性と影響力をめぐって他のさまざまなイデオロギーと闘わなければならなかった一つのイデオロギーであることや、さまざまに異なる文化のもとでリベラリズムが出現する際に常に修正を経験してきたことといった、明白な歴史的事実をおおよそ無意味なものとして扱う。歴史的および政治的に見ると、リベラリズムは、先例となることや自らを拡大することを通じて徐々に——しかし完全にはほど遠い仕方で——広がることを意図した、とらえどころのない普遍主義（あるいは、より最近の言葉を使えばグローバリズム）を追求してきた。これとは対照的に、哲学的リベラリズムにある巧妙さは、その倫理的ヴィジョンに賛同する人びとに直接訴える論理性と、そうした人びとに対する強力な説得力に存する。ひとたびあなたが一分の隙もないその道徳的推論を受け入れるや、それは端的に正しい視点となる。空間と時間が理想型の思考を限界づけることはないのだ。これは、哲学的リベラリズムの企てに対する批判としてではなく、あくまで異なる学問分野の流儀に対するコメントとして受け取っていただきたい。

そのようなリベラリズムの構想が現実に機能するためには、どんなことが確立していなければならないだろうか。第一に、正義は、すべての人が共有できる普遍化可能な観念でなければならない。つまり、道徳的に尊重可能な、複数の、イデオロギー的に競合する正義の諸理論というものはありえない。第二に、人間は間違いなく道徳的かつ合理的な存在である。ロールズ的な哲学的リベラルにとって人間の合理性に関しては、道徳的な点において従わざるをえない一つの必然性が存在している。つまり、非合理的であることが、倫理的な観点における選択肢ではないのだ。第三に、正義感覚は普遍的な基本ルールに関する重なり合う合意〔の存在〕という仮定に基づいている。さもなければ正義感覚は、《善》(the good) ではなく《正》(the right) の理論として描写される。なぜならそれは、人びとのあいだに常に存在する実質的な宗教的、哲学的、道徳的な差異に対して、手続き的に優先するものだからである。重なり合う合意はまた「自立した」ものでもある。言い換えれば、それは本書がこれまで考察してきたたぐいのもっと包括的なリベラル・イデオロギーや、関連する他のイデオロギーに依存していないのである。しかしながらロールズは、それが現在ある諸々の民主政体に埋め込まれている特定の諸実践と親和的であることを、堂々と認めている。別の言い方をすれば、自分自身の意志に従う合理的な個人がそれぞれ、同一の正当化可能な倫理的基本ルールに到達するということが、偶然にも生じてい[*1]

るのである。そして、結果として生じたこの重なり合う合意が、偶然にも、一部の西洋〔諸国〕の民主政的な諸前提に著しく類似している、ということになるのだ。この合意は、ロールズ派にとってリベラリズムの中心的な政治的目的でもある、社会や憲法の安定性を支えるうえで、不可欠のものになる。

ロールズが推し進めたこの種の軽装備の「政治的リベラリズム」は、あまりにも最小限のものであり、ラディカルなメッセージを込めることを狙った他のリベラリズムと歩調が合わないものであるとして批判されている。政治的リベラリズムの二つの特徴がその不十分さを特に指摘されてきた。第一に、そのヴィジョンの中心には個性が含まれておらず、おそらくは進歩さえも含まれていない。第二に、政治的リベラリズムは人間固有の特徴として一定の幅の精神的および道徳的諸能力を強調しているが、それは倫理的な意味での規範的指標では必ずしも把握されない、人間の感情や身体にまつわる諸特性を軽視している。社会政策に対する確固たる主張をもつものとして、これら四つの能力〔＝精神的、道徳的、感情的、身体的能力〕すべてがまとめて把握されてはじめて、二〇世紀の多くのヨーロッパ社会の政策を特徴づける福祉国家リベラリズムが理解できる。反対に、ロールズの「薄い」政治的リベラリズムを普遍化して、他の諸々のイデオロギーや、主要な宗教的信念体系のすべてと両立させることができるかといえば、それは疑わしい。

リベラルな中立性

他の哲学的リベラル達は、独自のブランドでリベラリズムの立論を提示してきた。リベラルな中立性《ニュートラリティ》に関する彼（女）らの主張は、イデオロギーとは脱論争化された概念、価値、選好を特定の仕方で集めたものだという考えとは両立しない。リベラルな中立性は明確な公私区別の可能性を永続化させるが、そのために国家が私的な問題に関して特定の立場を宣言することを控えるとする。リベラルを批判する人びとは、この区別が、とりわけ、ある観点では私的なことがら——たとえばヘイトスピーチや家族関係——が、別の観点では公的なことがらと受け取られる可能性があるために、ますます問題含みであるとみなすようになっている。そのうえ国家の沈黙は、現に流布しているあらゆる慣行を、それが望ましいかどうかにかかわらず、事実上容認する。人間の活動の多くの領域が国家のコントロールや規制を免れるべきだとリベラル達が信じていることに疑問の余地はないが、しかしそれを厳格な規則にしてしまえば、その重大な濫用を無視することになるだろう。二〇世紀後半のつかの間ではあるが、リベラルな中立性の教義は、アメリカの憲法モデルを念頭に置いたロナルド・ドゥオーキン（一九三一—二〇一三）が例示したように、リベラルな哲学者のあいだで絶大な人気を誇っていた。国家の中立性を支持する主張は、特定の選択、規則、権利が、〔個々の〕人間の主張を超えた、超 - 政治的なものとみなされる場合にのみ保持できる。一見するとこうした考え方は、リベラリズムの役割を、人が私的に抱くすべての価値を（それがどれだけ嫌悪感を与えるものであっても）保護することに限定するのみならず、その表現を積極的に促進することに専心させるようにも思われる。これは「棒や石で打たれれば骨が折れるが、言葉で私を傷つけることはできない」という古い格言を思い出させる。このアプローチは、危害を精神的・感情的なものではなく身体的・法的なものとみなす旧いリベラルの見解を想起させるものである。

ドゥオーキンの典型的な主張によれば、アメリカの権利章典――元のアメリカ憲法に加えられた最初の一〇個の修正条項――の大きなメリットは、特定の基本的諸原理を、民主的多数派のコントロールから断固として分離したことにある。この点は、「特定の基本的な政治的諸権利と諸自由の内容を、一度かぎりできっぱりと確定」して、それらを政治の論争《アジェンダ》から切り離すという、喫緊の政治的要求をめぐるロールズの主張のなかでも詳述されている。この主張はリベラルな諸原理の一部を保護する試みとしては理解できるものであるが、他方で、他の多くのリベラルなイデオロギーの表現と同じくらいエリート主義的で政治的である。この見解によれば、多数派には他人に自分の選好を押しつけて個人の権利を侵害する傾向があるため、そうした重要な権利は、修正がきわめて困難な憲法のなかに囲い込むことによって、政治的領域につきものである境遇の変わりやすさから隔離される必要がある。アメリカ憲法とその権利章典に、リベラルの重要な政治的慣行、特に代表の原理とすべての市民の平等な取り扱いの原理の確立が含まれているのは間違いない。しかしながら、権利章典に授けられた〔政治からの〕免除は、〔連邦〕最高裁判所が政治的な境遇の変わりやすさに影響されない中立的な視点を持っているという幻想を助長してきたのである。(3)

政治を超えた非党派的な解釈など成り立たないとする理由は二つある。第一に、イデオロギー分析のレンズを通して見ると、どこでもないところからの眺めなどというものは存在しない。*2 あらゆる見解は文化的、社会的、個人的な先入的好みを体現している。第二に、最高裁判所自体がすべての見解に等しい価値を割り当てているわけではない。正義にかなう慣行に算入すべきものに関して、最高裁は非常に明確な考えを抱いている。

イデオロギーというのは常に、善き生活に関する特定の選好の表現なのであり、その結果としてイデオロギーは、社会的実践において価値があると自らが信じているものとそうでないもののあいだで、ランク付けをしている。このランク付けは常に一つの政治的行為である。中立性を否定する議論は、権利章典自体が諸々の思想、イデオロギー、文化的傾向をある特定の仕方で配置したことの結果なのであり、それゆえ社会的に価値ある財の中立的な保証人などではないという主張をしている。この見方に従うと、リベラリズムは、たとえどれほど魅力的であっても、普遍性を騙る文化的に偏狭なイデオロギーである。圧倒的にヨーロッパと北アメリカの思想の集合体として、リベラリズムはラテンアメリカその他の国々に輸出されてきたが、それは常に当該地域の文化的フィルターを通して行われていた。しかしながら、こうしたリベラリズム観は哲学的ではなく社会学的な議論であるとして、ドゥオーキンと彼の支持者達によって退けられた。実際のところ、それは哲学的な議論でも社会学的な議論でもなく、諸々のリベラル・イデオロギーの比較分析から、つまりその方法論的開放性自体がリベラルなプロジェクトから生み出された、一つの洞察なのである。

哲学的リベラル達は、自由への権利、平等な尊重への権利、あるいはデュー・プロセスへの権利それ自体が他者の行為に対する制約であるとか、より大きな価値のプールからの特定の価値選択であると想像することに困難を覚える。なぜなら彼（女）らはそれらの権利を、社会生活から引き出された普遍的、論理的、そして倫理的成果だと考えているからである。とはいえ中立性は、一部のリベラルな地域で推進されてきた、それ自体で積極的な意味のある概念である。中立性を公言するリベラル達は、まさに中立性を推奨しているという点で中立とはほど遠い（実際、彼（女）らが中立性に情熱を傾けることすらありうる）。

この文脈で中立性を主張することは語義矛盾である。それよりも最高裁判所に不偏不党《インパーシャリティ》――贔屓や偏向なしに正義と権利の問題に取り組むこと――を願うほうがずっとよい。不偏不党は中立性から区別してもよいかもしれない。というのも、法の美徳と犯罪の邪悪さに関してそれ自体が非中立的であるような枠組みのなかで、不偏不党が追求される場合があるからである。それにもかかわらず、最高裁判所判事指名のしばしば露骨な党派的性質を考えると、たとえ司法が法的手続きの規則とエートスに制約されていることを考慮に入れたとしても、その可能性を維持することは困難である。より広い見方をとるなら、ハーバート・クローリーが一世紀前に流行した進化論の言葉で述べたように、「どんな場合であれ特定のケースにおいて、国家が一方に肩入れするか不偏不党にとどまるかにかかわらず、国家は自らが前提とすることがらに則って活動するという積極的な機能をもっているということは最も確実である。もし国家が不偏不党にとどまるならば、それは端的に国家が自然選択の結果を甘受することに同意しているにほかならないのだ」(4)。これらの問題は、一方における純粋型、理想型、抽象的リベラルの哲学的営為と、他方におけるリベラリズムを空間的・時間的領域に位置づける文脈主義的見解とのあいだに存在する、強い緊張関係をふたたび例示するものである。この〔後者の〕領域は、長所や誤りを含みつつも、異なる文化やさまざまな歴史的時代の鏡を通して現れる、人間の企図を映し出している。これと対抗関係にあるのが、政治思想を哲学的に研究するという、競合するもう一つのアプローチである。どちらのアプローチがより妥当ないし説得的であるかを裁決する必要はない。ただ、どちらか一方を正当化するような多様な前提が存在することを認識する必要があるだけである。

公共的な生の基準

現代の哲学的リベラリズムにおけるもう一つのテーマは、リベラリズムがさまざまな外見のもとで長年保持してきたそのイデオロギー的核心の現実化から、リベラリズムを遠ざけてしまうものである。ここではリベラリズムの強調点は、政治の評判を高め、政治が概して背負ってきたうさんくさいものだという評判を覆すような実践を発展させることへと切り替わる。その結果リベラリズムは、公共的領域で活動する人びとが従うべき適切な振る舞い方を指導する、強力で具体的な基準を提供するものとして再パッケージ化されることになる。そうした公共的ガイドラインのなかで最も重要なのは、透明性とアカウンタビリティを示し、腐敗と自己満足に対抗し、社会のすべてのメンバーに手を差し伸べることができる方法で公共政策を正当化する必要性である。これらの基準はすべて、リベラルの核となる思想を、ねじ曲がった仕方で表明するものなのだ。アメリカの政治理論家ジェラルド・ガウスは、これを「真にリベラルな政治生活」を保障する公共的理由の要件と特定し、[5]イギリスの哲学者バーナード・ウィリアムズはこれを「基本的な正統性要求」――国家がその権力に対する何らかの正当化を各国民に提供すべきことを主張する要求であるが、ただしそれ自体はあり得ないほどに観念論的な前提条件である要求――と特定している。[6]民主的実践の基盤である明晰な熟議を育成し、政治的エリート間の会話への一般公衆の参加を促進することを、多くの政治理論家達が非常に重視しているという事実が、これらのアプローチの影響を示している。それらは、私的領域の美徳を保護することを目的とするリベラリズムから、公共的領域の活性化を目的とするリベラリズムへの、目に見えるほど明白な移行を示しており、一世紀以上前に始まったプロセスを継続するものではあるが、他の既存のリベラルな諸目的は〔相対的に〕軽視するものでもある。

一般的な利害関心、合理性、制限された権力というリベラリズムの中核にある概念は、この哲学的対話を今なお支えているが、それらはリベラルな政策を導く実質的な諸価値を蒸留したものというよりも、まっとうで文明的な振る舞いの指標としての役割をむしろ果たしている。特に、ガウスが言うように、彼が表明する見解では、政治は「他の手段による倫理の継続」とみなされている。問題なのはこの見方が、人間の思考と行為の自律的な領域としての政治を弱体化させてしまい、政治的領域が道徳と美徳の不偏不党な裁定場になるという（端的に言ってリベラリズムが実現できるものではない）期待を高めていることである。より現実に基づいた柔軟なリベラリズム、原理に訴えると同時に懐疑的な姿勢をもつリベラリズムなら、こうした考えを疑問視するかもしれない。繰り返しになるが、リベラリズムはその歴史を通じて積極的に特定の選択を促進してきており、公共的生活のいくつかの特徴を譲れないもの、合意や裁定に左右されないものとみなしてきた。最低限言えることは、リベラリズムを含むいかなるイデオロギーも、政治的生活にその確実性を導入するという自らに課せられた責任を放棄することはできない、ということである。政治には、たとえ失敗や不完全な実現の運命にある場合でも、イデオロギーの思い通りに最終決着をしたいという誘惑が常に含まれている。

リベラルな哲学的多元主義

リベラルの哲学化についてはもう一つ別の形態がある。その主唱者はイギリスの哲学者アイザィア・バーリン（一九〇九―一九七）であった。(7) バーリンは、価値は複数で多様であるため、互いを序列化することはできないと考えた。これは表面的には第五層のリベラルな多元主義にある程度似ているものだが、実際にはより旧い種類の多元主義（多元論）である。それは集団自体が保持する集団的アイデンティティという考え方に基づくものではなく、むしろ人間的諸価値の道徳的多様性や、人びとが自らの権利の下で行う道徳的選択の多様性に関係している。各個人が抱く価値を等しく尊重することにまつわる問題があるが、それは、諸々の善を序列化することが政治生活の必然的な特徴であるという経験的事実を、この考え方が回避してしまうということである。諸価値に〔相対的な〕重要性を割り当てて「これはあれよりも重要性もしくは価値がある」と主張するための何らかの手段がなければ、政治的決定を下すことはできない。哲学的洞察としてみれば、価値観の通約不能性に関するバーリンの主張は、リベラルにとって魅力的に映る（それでも、それらのほとんどは、権利の終極性を付与することによって特定の価値を保護している）。しかしながら政治的な側面に関して言えばそれは、公共の競技場《アリーナ》において政治言語をコントロールすることを目指すなかで成功を収めるべく競わなければならない現実のリベラリズムを表象するものではないのだ。

しかしながら、バーリンは〔価値の〕衝突が不可避であるということを深く認識していたし、全体主義とそこに内包されている一元論を彼が軽蔑していたがゆえに、普遍的な合理的真理と倫理的調和へと収斂していく〔積極的〕自由ではなく、個人がそれぞれ差異を享受するという〔消極的〕自由を強く選好することが、彼自身の観点において正当化されていたのである。ここにも明らかな緊張関係が存在する。つまり、あらゆるイデオロギーが誇示する脱論争化された価値や選好と、妨げられることなく人間の表現の範囲を広げたいという願望とのあいだにある、緊張関係である。リベラル達が第四章で特定された中核的諸概念の支持を表明するとき、彼（女）らは各概念間の高度な両立可能性を許容するような仕方で、それぞれの概念に関する特定の構想を選択しようとしている。同時に、彼（女）らがある特定の脱論争化された構想を選好し、その他の構想を嫌悪するとき、自らが住む政治的・道徳的世界に対する見解が形作られているのである。これらの概念群の柔軟性と調整可能性を、リベラル達は比較的受け入れやすい傾向にあるかもしれないが、無限に受け入れるというわけでもない。バーリンは寛容を説いたが、リベラルな寛容にも立ち入り禁止区域がある。もちろんバーリン自身も、自分流の価値序列を支持していたし、その序列のなかでは（消極的）自由が主導的概念とされていた。それゆえ彼はそれを掘り崩すような試みを許容しなかった。必要とあらば、統治と共同生活の具体的な事例ごとに、選好の順序が確定されなければならない。これがリベラルの哲学者達が中立性を信奉することの裏面である。むしろバーリンが主張するように、万能の普遍的解決策などというのは「人間性という曲がった木材」[*3]に十分な配慮をしていないのである。だからこそ、道徳的および政治的選択の権利と能力は、たとえ実際の選択が誤った方向に導かれることがあるとしても、彼のリベラリズムのなかで最高の地位を占めているのである。

哲学的リベラリズムは、論証、評価、および理念上の実験から成る複合的な分野である。いかなる信条も、この分野の内側から湧きだす批判的思考の絶え間ない注入なしに、その存在や健全性を保つことはできない。政治哲学者達はリベラリズムを徹底的に精査することでリベラリズムの境界線を押し広げ、また、社会的にきわめて重要な喫緊の問題に取り組むことを繰り返し試みてきた。政治システムが正統であるために何が起こるべきなのか。市民的不服従はどのような場合に正当化されるのか。個人が社会的財の形で報酬を受け取るに値するのは何によってか。個人はその不運を補償されるべきだろうか。デモクラシーの維持に最も役立つ民主的実践はどれだろうか。文化的・民族的忠誠心と自由な選択や個性とをどのように調和させたらよいのか。哲学的リベラリズムは、こうした問いに対する答えが発見される可能性がある――また見出されるべき――領域をめぐって、頻繁に限定づけをしたり定義づけをしたりしてきた。しかし、その実践者の一部がこれらの問題の明確な解決策の存在を信じているかぎりにおいて、彼（女）らはリベラリズムとその対抗者のあいだにある、明らかに穴だらけの境界線――とりわけ、人間の完全性というユートピアと、不完全性のリベラルな承認とのあいだにある境界線――を踏み越えていることに気がつくかもしれない。

【訳注】

*1 ロールズは、人間の生に包括的にかかわる、何らかの道徳的、形而上学的、宗教的価値を、その理想として奉じる教義を「包括的教義」と呼んだ。諸々にあるそうした教義から自立して（つまり、それらに依存はしないが、関係性を程度の差はあれ保ちつつ）、重なり合う合意によって複数の包括的教義のあいだに理に適った安定性を与えるものとして、彼は「政治的リベラリズム」を構想した。

*2 トマス・ネーゲル『どこでもないところからの眺め』（中村昇他訳、春秋社、二〇〇九年）を参照。

*3 カント「世界市民的見地における普遍史の理念」（一七八四年）からの引用句。バーリンはこの引用を、オックスフォード大学におけるコリングウッドの講義で学んだと推定されるが、数多くの自らの著作のなかでこの表現を援用している。

第七章

悪用、誹謗、堕落——リベラリズムの苦境

イデオロギーとは不安定で揺れ動くものである。イデオロギーが、自らが道理に従うならば超えてはならない領分の外部にまで、飛び出すことがあるかもしれない。悪しき政治家の手に落ちて、濫用されるかもしれない。尊大さを帯びることで、多くの支持者を困惑させるようになるかもしれない。政治的現実との接触を失うかもしれない。あるいは、苦境から抜け出すメタファーを見つけだし、期待をはるかに上回るものを提供するかもしれない。リベラリズムは、以上すべての特徴に当てはまる。

「リベラリズムは勝利したイデオロギーなのか」という問いをめぐる議論のなかでは、一つの大きな問題が覆い隠されている。「リベラリズム」という語の修辞的な使用が、あきらかにリベラルとは言えない一部の人びとのあいだで普及している。あまりにも頻繁に、彼（女）らは自分達のイデオロギー的目的に適うように、曖昧で、限定的で、偏向した仕

方で、リベラリズムという語を引き合いに出す。その一つの意図は、こうした非リベラル達が人びとに飲ませようとする苦い薬を甘くするために、リベラリズムの傘の下に隠れるというものである。近年、多くの右派とポピュリストの政党がこの方法をとっている。もう一つの意図は、リベラリズムを敵対的なかたちで戯画化すること――それは対極にある立場に反対論を展開することを容易にする粉飾である――かもしれない。この方法は多くの場合、マルクス主義者やポストモダンの思想家が採用している。

ネオリベラルの攻勢

以前の諸章でそれとなく言及したように、リベラリズムに関する最も顕著な不当表示の一つは、「ネオリベラリズム」という用語の導入であった。ここでは、一つのイデオロギー変種が、うわべの体面を身につけるために、さらには既存のリベラリズムからその根拠を奪い取るために、意図的または無意識に、そのライバルの装いを身にまとっているのである。ネオリベラル達は世界を、巨大で潜在的には摩擦のないグローバル市場とみなす傾向があり、そこでは利益獲得のための財の交換が国家間関係の他の側面を凌駕していることになる。ネオリベラリズムをめぐる個々の理解は、もちろん異なっている。だが一般的に言うとネオリベラル達による理解では、リベラルであるということは、自由な個々の行為者を単独で、または他の行為者と結合した形態で、何よりも経済的に自己主張する存在だと特徴づけることである。この自己主張性の明確な特徴として挙げられるのは、資本主義的生産と取引に内在する経済力を維持・発展させること、投資のための新しい領域を開くこと、大量の消費可能な商品から利益を得ることである。ネオリベラル達は社会、政治、文化の諸領域を、自己調整的であると称される経済市場に従属させており、ネオリベラルの諸原理に従うならば、すべての社会活動の実行が活気づくことになると考えている。

リベラリズムの形態学の観点からすると、ネオリベラル達はリベラルの中核概念である合理性を、経済的利得の最大化という意味に限定していることになる。彼（女）らは自然的社交性という思想を捨て去っており、社会進歩の目的としての人間の個性〔という考え〕には最低限の言及しかしない。国家権力は、人間の繁栄と幸福な暮らし《ウエルビーイング》の条件を作り出すことではなく、主に交易と商業を保障するために用いられる。それどころか市場の自由な力が解き放たれるため、結果として、制約されアカウンタビリティを伴うものという、リベラルの権力概念は巧妙に回避されることになる。これは主に事業を営む起業家を保護するための主張である一方で、真に自由な市場の目的であるところの、すべての個人に本来備わっていると想定されている経済エネルギーと独創性を解き放つという目的を回避している。最新形態のネオリベラリズムが擁護する世界では、巨大な多国籍企業とメガバンクがわたし達の生活をますますコントロールし、支配するようになっており、強制的で体制順応的な管理主義《マニジアリアリズム》を育んでいる。経済関係を、平和や国際的連帯などの政治的目的を促進するための手段とみなす代わりに、政治制度を、民間部門の効率性と収益性を確保するための枠組みだとみなしている。リベラルな普遍主義はネオリベラルなグローバリズムに取って代わられた。つまり、個人の倫理が広く普及するという変化は、経済的な領域の拡大に置き換えられたのだ。政府それ自体でさえも、福祉や社会正義の提供者ではなく、大部分が投資家や交易の促進者という役割をするものへと作り替えられている。政府は金融危機が勃発したときだけ銀行業の世界を規制する努力をするが、その場合でもかなり優しく規制するのである。

自己調整的な市場という考え方を広めるなかで、ネオリベラル達は保守主義の領域へと近づいていく。保守主義の重要な特徴の一つは、神的、歴史的、摂理的《エコノミック》、または「自然的」なものに由来する一連の規則を反映した、人間を超えた社会秩序の起源があるという信念である。ネオリベラル達は、自然的なバランスがとれたシステムの一つとして、経済システムを自信満々に提示する。この理解によれば、人間の努力を指導・調整しようとする試みは、「自然的な」経済ルールを無視した場合、破滅的な干渉の引き金を引くことになりかねない。ハイエクの発想がここには顕著に見られる。リベラリズムの重層性の観点からすると、ネオリベラリズムはその最も近い前身である第二層の市場《マーケット》リベラリズム――それは文明化の努力の一部として市場の道徳的ヴィジョンを育み、企業の力ではなく個々人の才能を強調した――から分離してきたのである。ネオリベラル達のあいだには、公正な社会に向けた倫理的使命感覚の痕跡はほとんど見られず、その代わりにネオリベラル的政策の下で社会的不平等のレベルが上昇してきている。そして、人間の自己改善の探求における、進歩の原動力を用意せんとするコミットメントなど、ほとんど見られない。第四層である福祉国家の役割は、削減されてしまうか民間組織に引き渡されてしまう。個人的空間の保護と暴政からの解放に関する、第一層に属する立憲的取り決めは保持されるものの、それは実質的には強力で甚だしく不平等な経済的プレイヤー間での自由競争にふさわしいものに書き換えられる。要するにネオリベラル達は、二一世紀のリベラリズムのまさしく中心に位置すべき最低限の要素をそなえていない。もっと強く言うならば、リベラリズムの複雑な形態は粉砕されてしまい、ほとんど認識できないものになっているのである。

一九八九年以降の東欧リベラリズム

ネオリベラリズムの興味深い側面の一つは、それが一九九〇年代初頭のソビエト連邦崩壊後に多くの旧共産主義国を惹きつけたことだった。これらの国には強いリベラルな伝統がないため、ポーランド、ハンガリー、チェコ共和国などで、歪曲された形態のリベラリズムが定着したのはほとんど驚くに値しない。リベラリズムの名の下で実際に生じた事態は、非常に異なる二つの方向に展開した。元より脆弱であった東欧のリベラリズムは、ポスト共産主義社会の新たなアイデンティティの探求に際して、アイデンティティ・クライシスに見舞われた。リベラリズムを象徴する個人の自由と社会的連帯の防衛が市民社会に委ねられた一方で、同じくリベラリズムに特徴的な競争と私有財産の擁護は、市場社会の領分となった。これら二つの部分には共通点がほとんどなく、それぞれ別々の制度的およびイデオロギー的生活を送るために作られたものであった。

ネオリベラリズムの魅力は、共産主義の下で経済的に苦しんだ国々においてなら理解できるものだった。大部分の市民が置かれていた個人的な状況のせいで、豊かさに関する想像上の「西欧」モデルに基づいた消費者社会が、とりわけ魅惑的に映った。市民達は、具体的ですぐに手に入る成果を生む、一段と効率的な経済システムを求めるように駆り立てられたが、ネオリベラリズムはそれを迅速に確立する見通しを約束するように映った。しかし、一部の東欧諸国では他の傾向が、すなわち人びとが住んでいた抑圧的で独裁的な国家からの逃避が生じた。このときリベラル達は、数十年にわたって持続した全体主義シス

図5　1989年12月にチェコスロバキア大統領になる直前、ヴァーツラフ・ハヴェルは共産主義崩壊後の自由を祝うプラハの群衆に手を振った。

テムの下で失われてしまった〔統治の〕基盤を、とりわけ第一層に属する堅牢で基本的な〔権力の〕諸制限と〔統治の〕手続きの不在を、埋め合わせなければならなかった。人権や、法の支配および民主的な立憲的取り決めを取り戻す、というリベラルな言葉が人口に膾炙した（図5）。共産主義下の強力な国家に反対するがゆえに、多くのリベラル達は国家からの避難所として市民社会が強くなることに希望を抱いていた。「市民社会」は、経済的領域のみならず、市民的、文化的領域において、社会を構成する自発的かつ私的なアソシエーションのネットワークを表す、広く普及した用語であった。

この土壌のもとでは、第四層の福祉リ

ベラリズム（それは、活動的で民主的な国家の恩恵に依拠するものであったが、とにかく、国家に依拠するものであるので）が、繁栄する余地はほとんどなかった。市民社会と市場社会の傾向はいずれも、それが善のための働きであろうと、悪のための働きであろうとも、国家の重要性をできるかぎり低下させるという探求を共有していた。ポーランドの学者イェルジェ・シャツキの言葉を借りれば、国家は「すべての社会的不正義の代理人」[1]とみなされていたのであり、これは左派リベラルのイデオロギーおよび哲学の理論からかけ離れたものだった。集団的行為は、旧体制の社会主義的集団主義と誤って同一視されてしまった。このように、集団主義と少しでも関連するものはすべて、忌避されたのである。

現代世界の複雑さの只中で、国家による規制なしに市民社会が調和的に機能するという信念は、民間の慈善組織では一九世紀の社会問題を解決できないことが判明した過去のリベラリズムの歴史を鑑みるに、素朴で非現実的なものであった。確かに、国家を迂回することで権力の空白が生じたとしても、単にそこに支配的な私的利害が侵入していくだけだという様子を、ネオリベラリズムはあらためて例示していた。同時に、東欧の市民社会のヴィジョンは、第五層の多文化主義リベラル達がユートピア的だとして疑いの目を向けるような、高水準の社会的同質性を要求していた。そして、市民社会が、不愉快な政治の世界から幸いにも分離された並行社会《パラレル・ソサエティ》であるとする誤解を招く考えは、政治問題が社会の全体には浸透していないことを暗示していた。国家、政府、政治というそれぞれ別個の概念が、しばしば不注意にも同一視されていた。リベラリズムは東欧地域に深く根を下ろすことができなかった一方で、その自由の理念は個人化・理想化された知的・芸術的領域に押し込められたのである。

似非リベラル達

ネオリベラル達は、たとえそれが誤解であるとしても、自らがリベラリズムの伝統の最も重要な相続人であると心から信じているかもしれないが、他の社会——特にヨーロッパ——では、こうしたリベラリズムの資格を故意に曖昧なものにするようなイデオロギーが生み出されてきた。このイデオロギーは、裸の王様の新しい衣装のごとく、イデオロギーに対する形態学アプローチを適用した瞬間に、実際は存在しないことが判明してしまうような、似非リベラリズムの言説に身を包んでいる。

リベラリズムを意図的に不正流用することは、イデオロギーの真の意図を隠したり、そのレトリックをより口当たりの良いものにしたりするためにデザインされた、政治的武器になる可能性がある。たとえば右派政党であるオーストリア自由党は、経済的自由というリベラルの言葉を活用して、自分達が推進する別種の「自由」——外国人や大規模な移民から祖国を解放する自由――を隠蔽している。オランダではピム・フォルタイン党が、同性愛に対する寛容な態度を、強力な反イスラム的・排外主義的政策と組み合わせた。同じように物事を曖昧化させるポピュリズムの伝統のなかで「自由党」と名づけられた後継政党は、第五層の社会的多元主義を非難しながら、移民の統合に対する抵抗を続けている。これらの政党にとって最も価値ある自由は、異なる民族集団の人びとを悪者扱いしながら、支配的な国民文化だと主張されているものを促進する自由である。ツバメが一羽来ただけでは夏にならない、という周知のことわざと同じように、一つや二つのリベラルらしき考えがリベラリズムを構成するわけではない――とりわけ、あからさまに非リベラルな思想がその背後に意図的に積み上げられている場合には。

リベラリズムが相対的な成功を収めたせいで、そして最も人道主義的なタイプのリベラリズムが寛容と開放性を示しているので、リベラリズムは、イデオロギーのゴミ漁りをする者達の格好の餌食になると同時に、十字軍的もしくはポピュリズム的運動からの永続的な攻撃対象にもなっている。リベラリズムは現実に、いろいろと異なる現れ方をするものであり、実際、政治的行為が単純化を求めるときに、それに反して複雑な議論を展開するものなのだが、このことによって、リベラリズム自身の完全性が助長されるわけではない。だがそれは、政治的言語のコントロールをめぐって相争うイデオロギーが総じてたどる一般的な運命なのである。

リベラルな国際主義

ネオリベラリズムがその批判者によってリベラリズムという家族の一員とみなされることはめったにないが、他方でリベラリズムを独自に取り入れた別の分野が存在する。これは不正流用のケースではなく、調整と改作がおこなわれたケースである。過去半世紀ほどにわたって、国際関係の言語は「リベラルな世界秩序」に繰り返し言及してきた。この見解の支持者にはリベラリズムに関するマクロな見方を採用する傾向があるが、それは、大まかな輪郭は描かれているものの、あるイデオロギーをリベラルだと特定するのに必要な細かい区別は省略されているような見方なのである。ゲオルグ・ソーレンセンが指摘するように、「国際関係領域に関するリベラリズムの思想は、国内政治に関するリベラリズムの思想と比べると、発展が少ない」[2]。国内政治状況に置かれたリベラリズムの思想とイデオロギーは複雑であり、競合する他のイデオロギーからの頻繁な挑戦と批判にさらされている――保守主義、ナショナリズム、社会主義、緑の政治、原理主義、またはポピュリズムの傾向と実際に相争っている――が、その一方で逆説的なことに、世界秩序がリベラルなものであるとする幅広いコンセンサスが、国際関係の分析家のあいだに存在している。

しかし、いわゆる「西洋」から発生した、特にアメリカの準覇権的な地位に支えられている、はっきりとリベラルだとみなすことのできる世界秩序について、語ることは難しい。なぜならその国際秩序はミクロレベルでは、社会民主主義的福祉国家によってのみならず、保守主義者、ナショナリスト、準ポピュリストに率いられた政府によって支えられ、ときには攻撃的な仕方で推進されているのであるが、これらの政府はいずれも、イデオロギーの目利きアナリストが考えるような意味で、リベラリズムの陣営に属するとは即座に言えないものだからである。

それでは、この「リベラルな世界秩序」とは何だろうか。なぜこの用語は国際舞台で活動する多くのプレイヤーや国際関係の専門家のあいだでかくも人気があるのだろうか。その中心には明示的なもしくは暗黙裡の仮定が三つ存在している。第一に、ここで言う「リベラル・デモクラシー」とはイデオロギーではなく政治体制のタイプを指しており、「リベラル・デモクラシー」という言い方がその便利な略語であるような、制度的・政治的取り決めと規則を基盤とするシステムからなるある種の体制のことを指している。これらの取り決めは主として第一層のリベラリズムが提唱するミニマリストの基盤に沿っているが、一九世紀半ば以降のリベラリズムの変容からは大きく後れを取っている。現在、多くの保守的、社会民主主義的、ナショナリズム的、またはポピュリズム的〔政治〕システム——

特にヨーロッパとアメリカ大陸の、またオーストラリア、ニュージーランド、インド、日本でも――にとって、立憲主義と法の支配を受け入れながら、明白ないし一義的にリベラルなイデオロギーを採用しないでいることは、ごく普通のことになっている。これらすべての政体が相互の〔国際〕関係においてはリベラルであるという過度に一般化された仮定のせいで、国際関係の理論家達は、リベラリズムの諸原理がしばしばリベラルな国家によって実際に侵害されているなどと主張することになるのである。

いわゆる「リベラルな国家」は必ずしもリベラルな政府や包括的なリベラル・イデオロギーを保持しているわけではない、と主張するほうがより妥当であろう。そうした国家の実践が、必ずしも最初からリベラルであるわけではない。なぜなら、そのリベラリズムは名目的で希薄なものであるか、あるいは非リベラルな考えによって凌駕されているからである。ジョージ・W・ブッシュの対イラク外交政策を、体制転換《レジーム・チェンジ》を強要することで自由とデモクラシーを推進するものだと説明することは、この非常に保守的な共和党政権下のアメリカの政策が、第三層または第四層のリベラリズムの意味においてリベラルであることをまったく含意しない。それどころか、それはリベラリズム全体の評判を落とす危険を冒している。国際秩序で「リベラルな衝動」として説明されている、自由そのものの促進でさえ、それがR・H・トーニーの有名な一節にある「カワカマス〔大魚、強者〕の自由はヒメハヤ〔小魚、弱者〕の死」[3]を含意するものなのであれば、リベラリズムという家族の一員である保証はない。

第二の仮定は、リベラリズムが常に資本主義と市場に基づく経済を含むということである（これは、自由市場を、それ以外のリベラルな価値の大部分を犠牲にして膨張させるという、誇張されたネオリベラルな営みとは区別される仮定である）。これは、リベラリズムに特有の意味をもたせるには、不十分な言明である。なぜなら資本主義も市場も、きちんと定まったものではないからである。資本主義と市場は、異なるイデオロギーの枠組みに応じて、大きく異なる制御と規制の度合いを表すものとなる。福祉リベラルと比べるとはるかに強く自由市場に順応する、リバタリアンのような人びともいる。また、公共的で社会的に有益な財やサービスに向けて（課税やその他の手段を通じて）利益の一部を転換しようとするリベラル達に比べると、利益が喚起する動機のほうにはるかに大きく同調するようなビジネス起業家もいるだろう。第四章で見たように、リベラリズムの中核に存する諸概念のあいだにある両立不可能性は、非常に異なった脱論争化と秩序形成を生み出すのであり、それらはしばしば、直接的な対抗関係に至るのである。たとえ過去において私有財産が、ロックやその他の思想家から受け継がれた精神の一部であったとしても、私有財産も（投資と、金融的ならびに商業的権力の拡大から成るシステムとしての）資本主義自体も、過去一世紀にわたって明確に、または独自にリベラルであったとはいえないのであり、このことはリベラルな国際秩序に関する支配的な見方に反している。資本主義は、中国などの非リベラル国家に支持され、追求されてきたし、イデオロギーと体制が保守主義的であったり社会主義的であったりするだけでなく、ナショナリスト的またはファシスト的でもある、またはそうであった欧米諸国内でも支持され、追求されてきたのである。

第三の仮定は、国際的な場面でリベラルであるということは、通常、普遍的な人権の促進や平和的な紛争解決と関連づけられる、というものである。しかしそこには、どの人権を保護・促進すべきかをめぐる見解の相違が存在するのだが、それは、一方におけるリベラリズムの第一層と、他方における第三・第四層との相違に対応している。確立された人権のリストには、たいてい個人の自由を尊重する権利が含まれている。つまりそこには、暴政と拷問からの保護や、安全、財産所有権が、そしてジェンダー、人種、宗教上の平等が、さらには集団としての権利として、ネイションの自己決定権が、含まれる。こうした権利が保障されたうえで、国際連合をはじめとするその他の国際機関は、第三層の中心に位置する人間開発の権利へと、そして第四層の中心をなす、相対的にいって気前のよい、社会的・経済的権利の保障へと重点を移そうとしてきたのである。

その結果、現在では介入主義《インターベンショニズム》という新たな概念が、国際関係論者のいうリベラル言説に入ってきている。第四層のリベラル達にとっては周知の普遍的な福祉の考慮（国内の人道的危機を防ぐための条件の確保）によって、コソボ、アフリカ、中東などの事例に見られるように、たとえ選択的で場当たり的ではあっても、介入と（暴力の）執行に関する理由づけが変化してきている。しかしながら、国家政府のあいだでも、国際関係論の研究者のあいだでも、こうした追加的な諸権利の優先順序に関する合意は存在していないのであり、さらには、こうした権利をリベラルなものに分類するか否かに関してすら合意がないのである。リベラルな国際主義の解釈にまつわる問題、および世界秩序の構築にコミットしている主要な行為者に「リベラル」という形容詞を付すことの問題は、それらがリベラリズムに関する十全な見解を隠してしまうことにあるのではない。むしろ、広大な時間と空間のなかで生まれた豊かなリベラリズムの議論を知ることから得られる恩恵を、リベラルな国際主義が受け取っていないように思われることが問題なのである。こうした問題は国内のリベラリズムに関しても一部の界隈で存在するものの、国際政治の分野ではさらに幅広く見られるものとなっている。

被告人としてのリベラル

イデオロギー論争につきものの一面的な見方を伴った、リベラルの諸前提に対する絶え間ない批判の潮流の一つは、マルクス主義陣営に端を発している。マルクス主義者にとってリベラリズムは典型的なブルジョア・イデオロギーであり、労働者階級を犠牲にして資本家の利益を促進する、あるいは物質的条件の具体的な改善よりもむしろ人権の抽象的でユートピア的な進展に従事するイデオロギーである。イギリスの著述家で、一時期はマルクス主義でもあった社会主義者のH・J・ラスキ（一八九三―一九五〇）はこうした見解の好例である。ラスキはT・H・グリーンやホブハウスなどの左派リベラルの思想家の存在を随所で是認しており、さらには契約の自由の進展などの初期のリベラルの成果に賛意すら示している。しかしリベラリズムは「社会的正義の要求が、自らの勝利によって余す所なく実現されはしなかったということを、リベラリズムに先行する諸イデオロギーと同様にまったく無視していたのである」。自由によって作り出された歴史的諸制度は「内部の腐朽を覆い隠した」。

リベラリズムはこれまで常に、貧乏人を自分自身の過失のゆえに失敗した人びととみなす傾向によって、影響されてきた。それはこれまでは常に、大規模な所有が物に対すると同様に人間に対する権力を意味することを認識しえなかったために、欠陥をもつものであった。……リベラリズムの目的とするところが、常に普遍的な言葉で表現されたことは疑いない。だがこれらの目的は、実際の作用においては、社会のなかのある単一の階級に奉仕するものでしかなかったのである。[4]

アメリカの公的な政治言説では、かなり異なった考え方に依拠して、リベラリズムはたいていの場合――そして二分法的に――保守主義と対をなすものとされる。プロのアナリストですら、この組み合わせの範囲内でものを考える傾向がある。アメリカ人を二つの見出しの下で簡単に分類できるなどと示唆することは、現実の重大な歪曲をもたらす。だがこの二分法は、アメリカの政治討論において計り知れないほどの修辞的意義を持っており、政治的な断層を構成するほどに普及しているのである。現代アメリカの保守派は全体として現状維持、法と秩序、私有財産権、市場、制限政府、階層化社会を好むと考えられている。逆にリベラル派は大きな政府（一九三〇年代のF・D・ローズベルト大統領の遺産）、公民権（一九六〇年代の遺産）、寛容、社会的平等の促進を、優先事項とすると考えられている。こうした一般化の正確さはさておき、この一般化は税制から移民、健康保険、中絶まで、あらゆるレベルの政治に浸透している。つまり、リベラルな理論家が欲するであろう共通の土台や相互尊重のいかなる形態も不可能にするような、二項対立を生み出しているのである。

『イデオロギーとしての自由主義の衰退』[5]と題された有名な本のなかで、保守派のアメリカの学者ジョン・H・ハロウェルは、リベラリズムが活力から退廃へと移行したと非難した。彼はリベラリズムの寛容と多元主義が、戦間期における左右の全体主義イデオロギーの勃興を容易ならしめるような、政治的・理念的意志の弱体化を用意したのだと主張した。リベラリズムに関するバランスを欠いた不当表示のより最近の例は、一九八八年の大統領選で生じたものであるが、その一部は「Lワード」、すなわちリベラリズムの攻撃に焦点を合わせたものだった——ある評論家はこれを「アメリカの政治的アイデンティティからリベラリズムの伝統を除去する意図的な試み」と評した。[6]民主党の候補だったマイケル・デュカキスがこの争いで「汚名を着せられた」が、その一方でリベラリズムが国防の崩壊や危険な犯罪者に対する寛大な処置と同一視されたことは議論を呼んだ。ヨーロッパにおけるリベラリズム批判とは違って、リベラリズムという語の軽蔑的な意味合いは、アメリカでこの言葉を好意的に使用するのを困難にするほど強力になっており、「進歩的」などの代替語ですら同様の困難を伴っている。アメリカの政治全般にリベラルの潮流が脈打っていることははっきりとしているのだが、それは、めったに自分の名前を敢えて口にしようとしないイデオロギーの一種になってしまったのである。

リベラリズムは法の支配を発明したわけではないが、その守護者となった。諸価値の適切な組み合わせのなかに置かれると、法の支配は政治システムの円滑な運営を確保するために必要な、優れた手続き、公正な処遇、権利擁護、および予測可能性を体現することになる。だが一九四七年以前のイギリス統治下のインドや他のイギリス植民地のように、法の支配が民主的コントロールから分離している場合、リベラリズムの名の下にあるものがリベラルではなくなってしまう。代わりにそれは、慈悲、品位、尊重を欠いた、被支配社会に対する厳格でしばしば抑圧的な法の適用と化す。文化と教育に関するリベラルな基準によって、植民地社会は劣等な地位に追いやられた。現地の人びとが異議を表明したり、帝国の法規に抗議したり、また自分達自身の慣習に従おうとしたりすれば、それらはしばしば容赦なく鎮圧されることとなった。リベラル達が本国で大事にしている個性の自由な発展は、外国の多くの文化には適用されなかった。〔法の支配、リベラルな文化と教育、個性の自由な発展という〕三組の価値を最大限に擁護していたミルは、次の一節が示すように、今述べたことと大差ない考えを抱いていた（彼の用語法では民族は人民を、つまり文化的・民族的集合体を指す）。

……民族そのものが未成年と考えられる社会状態も、考察から除外してよいだろう。……目的が未開人を改善することであって、その手段がこの目的を実際に実現することで正当化される限りでは、専制は正当な統治の仕方なのである。(7)

加えて、ホブスンがわかっていたように、自由貿易の庇護の下で資本主義と市場を拡大したとしても、それらが帝国の支配と搾取の道具として頻繁に利用されてきたという事実は隠されることはないのである。いわゆるリベラルな国家がそのような権力行使の罪を犯した場合、たとえリベラルな理想とヴィジョンを口先でどれほど賛美したとしても、その国家はリベラルという家族の一員たることをやめるのである。対内的には全体としてリベラルな社会が、対外的にはショッキングなほどに非リベラルな政策を追求したという事実は、そうすると、リベラルの対外的な文明化プロジェクトの拡張が失敗したものと見ることもできるだろうし、あるいは単純に、こちらのほうがもっともらしいが、リベラリズムの中核的信念――自由への普遍的な主張と、それが支持する個人の発展――からの逸脱と見ることもできるだろう。

国内政策においても、リベラリズムはデモクラシーとの緊張をはらんだ関係を続けてきたが、その関係には正当化できるものもあれば、そうでないものもある。多くの観点から見ても、リベラリズムはエリートの教養であり、教養ある人びとに、あるいはおそらく西欧と北欧の諸価値の特定のセットのもとで教育された人びとのみに、対応する教義なのである。そしてこの特定の価値セットは、地球上に不均等なかたちでしか広まっていない。リベラリズムにはポピュリズム的な魅力が欠けており、単純なスローガンやサウンドバイトで言い表すことができない。リベラル達のあいだに、明白なパターナリズムの特徴が存在することは間違いない。すなわち、高潔さ、文明化という使命に対する自信、そしてシティズンシップに不可欠なものとして教育を過度に強調することが、彼（女）らのなかに見てとれる。ミルの『自由論』を読むと、彼が構想した自由で進歩的な個人のモデルとして、ミル自身が想定されていたと考えないほうが難しい。このモデルは、ミルがその政治的能力について重大な留保を加えていた、社会の大多数の人びとの経験からはかけ離れた存在であった。現在の政治哲学者が書いたものを読むと、人びとが自分の人生の選択を熟考し、継続的に評価するという面倒な要求が、その多くにおいて是認されていることがわかるが、こうした要求は学者の机上の空論でしかない。なかでもとりわけ、リベラリズムが社会の全成員の生の可能性《ライフチャンス》を最適化するための規制措置に依存すればするほど、また均質的で統一された社会観をより強く受け入れるならばそれほどに、リベラリズムが〔人びとを〕指導する傾向がより顕著になる。この傾向は特に第四層のリベラリズムにおいて目立つのだが、このリベラリズムは、こうした指導傾向に相当する、権能付与と誘導の実践を伴う福祉国家を生み出していたのである。

リベラリズムにおけるパターナリズムと、それに伴う特権階級の人びとから社会の周縁にいる人びとに対して公然となされる慈善は、強硬なものでもないし、意図的に傲慢であったり横柄であったりするわけでもない。むしろそれは、真の改革の衝動に駆られた柔らかいパターナリズムである。にもかかわらず、一九世紀以降リベラル達は、望ましい性格特性と思しきものに関する思想を発展させ、ますます広がりつつあった民主政治のプロセスに完全に参加するために必要となる前提（資格）条件を設定していた。最初は財産所有者のみ、次に最低限の教育水準にある者のみが、完全なシティズンシップに適合的だとみなされた。女性の状況はさらに悪かった。たとえばイギリスでは（一九〇六年から一九一四年までの改革志向の自由党政権を含む）一九二八年まで、女性は完全な投票権から除外されていた。その理由の一つに挙げられたのが、女性は十分に自立しておらず、彼女らの投票はその父、兄弟、そして夫の影響を受けるだろう――このうえなく字義通りの父権主義者《パターナリスト》である！――というものだった。

最初は嫌々ながらデモクラシーを受け入れたリベラル達は、社会再建の達成や、まっとうな生活に関する諸基準の確立を試みたが、それらの基準の多くを専門家の決定に委ねた。

これによって社会保険制度への個々人の拠出は、この制度を財政面で実行可能にするために強制的なものとなった。特にアメリカでは、明らかにリベラルな福祉政策の多くが労働者にとって過酷な結果をもたらした。アメリカの革新主義もまたパターナリズムの特性を免れておらず、たとえばウォルター・リップマンは彼の著書『世論』(8)のなかで、専門家が一般大衆に関与することの重要性を説いている。公衆の監視下にあるかぎり専門家を信用することには何の問題もないかもしれないが、リベラルの政策決定はその助言を求める以上のものになる傾向がある。あまりにも多くの人びとが、自分達を解放する社会的ヴィジョンを生み出すことができない人間だと想定されていた。イギリスの自由党政府が一世紀以上前に強制加入の社会保険制度を導入したとき、この制度は「社会の責任と……パターナルな政府という、新規のリベラリズム」であるとして、古いスタイルの第二層および第三層のリベラル達から抵抗を受けた。しかしこの強制性を別の観点から捉えたリベラル達もいた。エコノミストであり政治家でもあったL・チオッツァ・マネーは次のように書いている。

民主的な法律による強制が、自分が日々耐え忍ぶ〈服従か餓死か〉の経済的強制とは異なるものであるということだけでなく、法律的強制のおかげで経済的強制が緩和され、

そこから救い出されることすらあるということを、生計のために働く平均的な男性に理解させるのは難しくない。(9)

故意および不注意による差別

リベラリズムにはそれ特有の沈黙と誤認がある。他のイデオロギーがリベラリズムとその信念についての誤解を招く物語をしばしば露骨かつ故意に語るようなことがあっても、リベラル達自身が、そこにある重要な問題を見て見ぬふりをしてそれに向き合うことを拒んだり、あるいは楽観的に無視したりするという罪を犯してきた。人種とエスニシティの諸問題は、第五層のリベラリズムのヴィジョンにようやくゆっくりと忍び込んできたばかりである。こうした怠慢に対するリベラル達の責任は、それが社会的〔なことがら〕に自覚的で応答的だと自認するイデオロギーであるだけに、とりわけ見逃すことができない。いまでもリベラリズムは人種的偏見《カラー・ブラインドネス》を完全には払拭できておらず、一般的利益に関して包摂的な関心を抱いていると自称していても、排他主義、特に白人中心的な人種的家父長制をいまだ排除しきれていない。

女性の政治的地位に関連する問題のいくつかが（メアリー・ウルストンクラフトの例があるように）以前から認識されていたにもかかわらず、ジェンダーをめぐる論点は、それ自体がリベラル達にとっていまだ問題含みのものである。ミルは、彼の妻であるハリエット・テイラーとともに、女性の平等な政治的——および投票の——権利の初期の擁護者であり、「男女間の権利の不平等な関係は、ほかならぬ強者の法則に由来するものである」(10)と主張した。だが、女性参政権がもたらした形式的および法的平等の達成は、次の二つの理由からフェミニストに攻撃されてきた。第一に、経済的および文化的なジェンダー間格差が依然として強固であることを鑑みれば、形式的・法的平等の達成は不平等の減少という点では非常に表面的で部分的である。第二に、これは最近のフェミニストに共通のテーマであるが、形式的・法的平等は女性を政治的に男性に変えるものにすぎず、男性優位主義的な文化的特性に基づく既存のカテゴリーに女性を吸収しているのであって、ジェンダー的差異にある肯定的側面を顧慮していない。このタイプのジェンダー的無理解《ブラインドネス》があるゆえに、リベラリズムはフェミニストが目標とするところに到達できない運命にある。リベラリズムが契約〔論〕と歴史的なつながりを有するがゆえに、潜在的に抑圧的な慣習を伴った結婚〔制度〕を容認することとなった。男性は精神、合理性、普遍性という公的領域に属し、女性は身体、感情、特殊性という私的領域を占めているという、不誠実な二分法の犠牲に女性をした廉で、リベラリズムは非難されていた。フェミニストはその代わりに、より効果的でより倫理的な解決策を求めてラディカルなマルクス主義とポストモダニズムのイデオロギーに接近した。しかしながら、リベラル陣営の外側からの視点はリベラルの悪意と無能さを誇張する傾向がある。それゆえ、あらゆる〔種類の〕リベラリズムを、二〇世紀初頭における一部のリベラリズムの具体例を用いて、ステレオタイプ化したフェミニストもいたのだ。

これらのすべての事例は、リベラリズムのようなイデオロギーが、自らの中核的な価値や概念の一部だけを、他の価値や概念を顧慮せずに極端な仕方で追求するとき、イデオロギーとして行き詰まるさまを例証している。寛容や一般的な利益への配慮を欠いたままで法的妥当性を追求すれば、制度の残虐な運用となる。社会正義を欠いたままで無制約な市場と富の蓄積を擁護すれば、不当利得行為や規制を欠いた新たな権力集中を生み出す。民主的感受性を欠いたままで文明的生活水準を追求すれば、冷淡なエリート主義に帰結する。多様性と差異に注意を払わないままで合理的コンセンサスや民族的同質性を信じ込むならば、社会的排除を生み出す。女性を〔政治的に〕包摂しても、別の形態による家父長制支配がまだ存在していることを認めないでいるのなら、それは不十分であることが判明した。リベラルな諸価値はそれぞれ一つだけではリベラリズムの保証とはならず、むしろリベラリズムを駄目にする可能性が高い。イデオロギーとしてのリベラリズムは常に一連の諸価値を頼りにしている。そのさまざまな構成要素を相互にチェックしてバランスを取る一方で、自己破壊に陥らない程度にそれらの柔軟な配列を許容するのである。

リベラルの情熱――贖いのフィナーレ

ここまでリベラル達の過ちをいくつか指摘してきたが、リベラル達とその信条との関係をめぐる典型的な誤解を訂正することで本章を締めくくろう。リベラリズムが、政治的問題に理由づけを合理的に適用するものであることは疑いない。しかし最近では、政治的嗜好が異なる人びとにもアピールする言語を見つけられないという点で、そうしたやり方が負担となることが多くなってきている。リベラリズムが冷静で反省的な合理性を連想させることは、コインの片面にすぎない。他のイデオロギーと同様、リベラリズムには、その批判者達が過小評価し、その支持者達が常に認識しているわけではない情緒的な側面がある。ホブハウスにとって、「学問世界だけに閉じこもった実践力なき哲学は、人間の渇望した魂と何ら関係をもつことのない、抽象的思索にとどまった哲学である」(11)。人間の感情に由来する実際上の要求から生み出された哲学だけが人を動かす力をもつ、と彼は主張した。事実、これこそが哲学にイデオロギー的な力を与えたのである。リベラリズムは理性だけでなく想像力や社会的感情とも関係する。リベラリズムの大きな強みの一つがこの点にあると、リベラル達は信じている。つまり、リベラリズムにある合理的な思想が――最善の場合には――情熱とコミットメントを呼び起こすというわけである。リベラル達は、不正に直面すると腹を立て、人間の尊厳への侵害や民衆に対する物理的暴力の行使に激怒する。人間性を奪い取るような行為は怒りと抗議を惹起するが、それでもリベラル達はリベラルであって、そのような抗議は通常は直接行動ではなく、請願、投書、または法律や政策の変更を求めるキャンペーンのかたちで現れる。おそらくこれが、一世紀以上前に参政権を求めて戦った女性参政権論者達《サフラジェット》がリベラリズムを許せないと感じた理由の一つである。リベラルな諸政党は左右の煽動政治家《デマゴーグ》とは異なり、大衆政治の時代にあっても支持をとりつけるために大言壮語や宣伝工作を使用することを控えてきた。残念ながら、これによって政治の世界におけるその競争力は低下したのである。

第二章で見たように、リベラルはナショナリズムに反対ではないものの、より穏健でより弱いかたちの愛国主義《パトリオティズム》を好むかもしれない。ナショナリズムは自分達の国やエスニシティと自己を同一視するという非常に感情的な実践である。リベラル達は民族自決権をすべてのネイションに拡大しているようにみえるが、複数のエスニシティ集団を認める世界では、ネイションの構成員に関する合意〔形成〕はますます複雑化している。究極のところでリベラル達は、自分の世界観について感情的になる。イタリアのリベラルな歴史家グイド・デ・ルッジェーロが言ったように、「リベラリズムは、ある種類の理解能力や識別能力を持っている……つまりそれは、真の政治的繊細さであり、あらゆる人間的なもの——人間の強さと弱さ、人間の理性と情念、人間の利害と道徳性——を認識するという目的に奉仕する能力なのである」(12)。したがって、ホブハウスによる自由民主主義者《リベラル・デモクラッツ》への以下のメッセージは、本書を締めくくるにふさわしい。

……完全な美しさにおける正義のヴィジョンが燃え立たせる情熱は、劇的な花火のようにぱっと燃え上がるのではなく、熱い中心をもち不朽の輝きをたたえて燃焼するのである(13)。

注

第一章　壹運なる大御殿——多様性の確認

（1）　F. Fukuyama, *The End of History and the Last Man* (London: Penguin Books, 2012 [first published 1992]), especially pp. 45, 48, 51〔フランシス・フクヤマ『歴史の終わり』上、新版、渡部昇一訳、三笠書房、二〇二〇年、九一—九二、九八—一〇一頁〕。

（2）　R. G. Collingwood, 'Introduction' in G. de Ruggiero, *The History of European Liberalism* (Boston: Beacon Press, 1959 [first published 1927]), p. vii.

（3）　L. Strauss, *Liberalism* (New York: Basic Books, 1968), p. vi〔レオ・シュトラウス『リベラリズム——古代と近代』石崎嘉彦・飯島昇藏他訳、ナカニシヤ出版、二〇〇六年、v頁〕。

（4）　L. Trilling, *The Liberal Imagination* (New York: Doubleday Anchor, 1954), p. 7.

（5）　L. T. Hobhouse, *Liberalism* (London: Williams and Norgate, 1911), pp. 46-7, 123〔L・T・ホブハウス『自由主義——福祉国家への思想的転換』吉崎祥司監訳、大月書店、二〇一〇年、三四、九四頁〕。

（6）　K. Marx and F. Engels, *The German Ideology* (C. J. Arthur ed.) (London: Lawrence and Wishart, 1970), p. 99〔カール・マルクス『ドイツ・イデオロギー』（『マルクス・コレクションⅡ』三島憲一他訳、筑摩書房、二〇〇八年に所収）、一四一頁〕。

（7）　C. Mouffe, *The Democratic Paradox* (London: Verso, 2000), p. 50〔シャンタル・ムフ『民主主義の逆説』葛西弘隆訳、以文社、二〇〇六年、七九—八〇頁〕。

（8） R. Kirk, *The Conservative Mind* (London: Faber and Faber, 1954), pp. 388-9〔ラッセル・カーク『保守主義の精神』下、会田弘継訳、中公選書、二〇一八年、三五五頁〕。

（9） J. Rawls, *Lectures on the History of Political Philosophy* (Cambridge, MA: Harvard University Press, 2007), p. 12〔ジョン・ロールズ『政治哲学史講義Ⅰ』齋藤純一他訳、岩波現代文庫、二〇二〇年、二一—二二頁〕。

（10） R. Dworkin, 'Liberalism' in R. Dworkin, *A Matter of Principle* (Oxford: Clarendon Press, 1986), pp. 191-2〔ロナルド・ドゥオーキン『原理の問題』森村進・鳥澤円訳、岩波書店、二〇一二年、二五八頁〕。ロールズとドゥオーキンという、アメリカの非常に著名なリベラリズム哲学者の二人は、第六章で論じられる。

（11） John Maynard Keynes, *Essays in Persuasion* (London: Macmillan and Co., 1931), p. 343〔J・M・ケインズ『説得論集　ケインズ全集第9巻』宮崎義一訳、東洋経済新報社、一九八一年、三七三頁〕。ケインズは、二〇世紀において最も影響力のあった経済学者であり、イギリスの自由党の支持者でもあった。

第二章　リベラルの物語

（1） John Locke, *Two Treatises of Government* (Cambridge: Cambridge University Press, 1963), Second Treatise, §225〔ジョン・ロック『完訳　統治二論』加藤節訳、岩波文庫、二〇一〇年、五六五頁〕。

（2） アイザィア・バーリンの手による唯一のマキアヴェッリ『君主論』解釈として次を参照のこと。I. Berlin, *Against the Current* (London: The Hogarth Press, 1979), pp. 25-79〔バーリン「マキアヴェッリの独創性」佐々木毅訳、福田歓一・河合秀和編『思想と思想家』岩波書店、一九八三年、一—九七頁〕。

（3） É. Durkheim, *The Division of Labour in Society* (New York: The Free Press, 1964)〔エミール・デ

ュルケーム『社会分業論』田原音和訳、ちくま学芸文庫、二〇一七年〕。

(4) ミルは、W. von Humboldt の *The Limits of State Action* (Cambridge: Cambridge University Press, 1969), p. 48〔ヴィルヘルム・フォン・フンボルト『国家活動の限界』西村稔編訳、京都大学学術出版会、二〇一九年、六六頁〕から引用している。一八五九年にミルの『自由論』が出版されるほんの数年前である一八五四年に、この本の英語訳が出版されていた。

(5) H. Croly, *Progressive Democracy* (New Brunswick: Transaction Publications, 1914), pp. 203-4.

(6) L. Hartz, *The Liberal Tradition in America* (New York: Harcourt, Brace and World, 1955), p. 228〔ルイス・ハーツ『アメリカ自由主義の伝統』有賀貞訳、講談社学術文庫、一九九四年、三一〇—三一一頁〕。

(7) L. von Mises, *Liberalism* (Irvington, NY, 1985 [first published 1927]), pp. xvi-xvii.

(8) H. Spencer, *The Man versus the State* (Harmondsworth: Penguin Books, 1969 [first published 1884]), p. 67〔森村進(編訳)『ハーバート・スペンサー・コレクション』ちくま学芸文庫、二〇一七年、二五六頁〕。

第三章 リベラリズムという重層

(1) ラインハルト・コゼレックのアプローチは、彼の著作 *Futures Past* (Cambridge, MA: MIT Press, 1985) において典型的に示されている。

(2) John Locke, *Two Treatises of Government* (Cambridge: Cambridge University Press, 1963), Second Treatise, §57〔ジョン・ロック『完訳 統治二論』加藤節訳、岩波文庫、二〇一〇年、三五九頁〕。

(3) C. B. Macpherson, *The Political Theory of Possessive Individualism* (Oxford: Clarendon Press,

1962)〔C・B・マクファーソン『所有的個人主義の政治理論』藤野渉他訳、合同出版、一九八〇年〕。

(4) John Bright, Speech on 'Foreign Policy' in Birmingham, 29 October 1858. http://oll.libertyfund.org/title/bright-selected-speeches-of-the-rt-hon-john-bright-m-p-on-public-questions#lf0618_label_037

(5) A speech by Richard Cobden at Manchester, 15 January 1846 in A. Bullock and M. Shock (eds.), *The Liberal Tradition from Fox to Keynes* (Oxford: Clarendon Press, 1956), p. 53.

(6) John Milton, *Areopagitica* (1644) can be found in http://cdn.preterhuman.net/texts/literature/books_in_PDF/1644%20Areopagitica.pdf, p. 36〔ジョン・ミルトン『言論・出版の自由――アレオパジティカ 他一篇』原田純訳、岩波文庫、二〇〇八年、七二頁〕。

(7) ベヴァリッジのいう五つの巨人は、彼のレポートである'Social Insurance and Allied Services', Cmd 6404 (London: His Majesty's Stationery Office, 1942), p. 6 にある。

(8)「たくましいリベラリズム」というフレーズは次の演説のなかで現れたものである。A speech by the British Prime Minister, David Cameron, delivered in Munich on 5 February 2011. See http://www.newstatesman.com/blogs/the-staggers/2011/02/terrorism-islam-ideology

(9) George W. Bush, 'Speech to the World Affairs Council of Philadelphia', Philadelphia, Pennsylvania, 12 December 2005. http://www.presidentialrhetoric.com/speeches/12.12.05.html

第四章 リベラリズムの形態学

(1) リベラリズムの形態学、ならびにイデオロギーの形態学一般についての、詳細な議論に関しては、M. Freeden, *Ideologies and Political Theory: A Conceptual Approach* (Oxford: Clarendon Press, 1996) を参照。簡単な紹介としては、M. Freeden, *Ideology: A Very Short Introduction* (Oxford: Oxford Uni-

versity Press, 2003）がある。

（2） John Locke, *Two Treatises of Government* (Cambridge: Cambridge University Press, 1963), Second Treatise, §5〔ジョン・ロック『完訳　統治二論』加藤節訳、岩波書店、二〇一〇年、二九七頁〕。

（3） B. Mandeville, *The Fable of the Bees or Private Vices, Publick Benefits.* http://oll-resources.s3.amazonaws.com/titles/846/Mandeville_0014-01_EBk_v6.0.pdf〔バーナード・マンデヴィル『新訳　蜂の寓話――私悪は公益なり』鈴木信雄訳、日本経済評論社、二〇一九年〕。

（4） L. Hartz, *The Liberal Tradition in America* (New York: Harcourt, Brace and World, 1955), p. 9〔ルイス・ハーツ『アメリカ自由主義の伝統』有賀貞訳、講談社学術文庫、一九九四年、二六頁〕。

（5） D. Bell, 'What is Liberalism?' *Political Theory*, vol. 42 (2014), pp. 682-715. これは、リベラルな思考の歴史を、時間と空間を超えてリベラル達がリベラルであると自称した議論の総和として再解釈するという考え抜かれた試みである。しかしベルは同時に、リベラリズムの伝統のなかにおいて、そうした議論がもつ相対的な重要性について、評価を下すことは避けている。

第五章　リベラルの名士達

（1） J. S. Mill, 'On Liberty' in J. M. Robson (ed.), *Essays on Politics and Society, Collected Works of J. S. Mill*, vol. 18 (Toronto: University of Toronto Press, Routledge and Kegan Paul, 1977), p. 261〔J・S・ミル『自由論』関口正司訳、岩波文庫、二〇二〇年、一二八頁〕。

（2） T. H. Green, *Liberal Legislation and Freedom of Contract* (Oxford: Slatter and Rose, 1881), pp. 9-10.

（3） L. T. Hobhouse, *Liberalism* (London: Williams and Norgate, 1911), pp. 124, 126〔L・T・ホブハウス『自由主義――福祉国家への思想的転換』吉崎祥司監訳、大月書店、二〇一〇年、九五、九六頁〕。

(4) J. A. Hobson, *The Crisis of Liberalism* (London: P. S. King & Son, 1909), pp. xii, 97, 113.

(5) M. Wollstonecraft, *A Vindication of the Rights of Woman* (Harmondsworth: Penguin Books, 1975 [first published 1792]), pp. 139, 319〔メアリ・ウルストンクラーフト『女性の権利の擁護』白井堯子訳、未來社、一九八〇年、一〇〇、三六〇頁〕。

(6) B. Constant, 'The Liberty of the Ancients Compared with that of the Moderns' in *Political Writings* (B. Fontana ed.), (Cambridge: Cambridge University Press, 1988), pp. 317, 323〔コンスタン『近代人の自由と古代人の自由　征服の精神と簒奪　他一篇』堤林剣・堤林恵訳、岩波文庫、二〇二〇年、三〇、四三頁〕。

(7) W. von Humboldt, *The Limits of State Action* (Cambridge: Cambridge University Press, 1969), p. 10〔フンボルト『国家活動の限界』西村稔編訳、京都大学学術出版会、二〇一九年、一一三頁〕and J. S. Mill, 'On Liberty', *op. cit.*, p. 261〔邦訳、一一九頁〕。

(8) B. Croce, *Politics and Morals* (London: George Allen and Unwin, 1946), pp. 78, 84, 87, 102.

(9) C. Rosselli, *Liberal Socialism* (Princeton, NJ: Princeton University Press, 1884 [first published 1930]), pp. 78, 85, 86.

(10) J. Dewey, *Liberalism and Social Action* (New York: G. P. Putnam's Sons, 1935), pp. 15-16, 27, 38, 43〔ジョン・デューイ『自由主義と社会的行動』、明石紀雄訳『アメリカ古典文庫13　ジョン・デューイ』研究社出版、一九七五年、二六〇、二六八、二七六、二七九頁〕。デューイの著作はいまだに、リベラルな価値とリベラリズムの歴史に関する最も優れた反省の一つでありつづけている。

(11) F. A. Hayek, 'Liberalism' in F. A. Hayek (ed.), *New Studies in Philosophy, Politics, Economics and the History of Ideas* (London: Routlege & Kegan Paul, 1978), p. 130〔F・A・ハイエク「自由主義」、山

中優監訳、田総恵子訳『政治学論集』ハイエク全集第Ⅱ期第5巻、春秋社、二〇〇九年、一三二頁〕。

(12) F. A. Hayek, *The Constitution of Liberty* (London: Routledge & Kegan Paul, 1960), p. 39〔F・A・ハイエク『自由の条件Ⅰ 自由の価値』ハイエク全集第5巻、気賀健三・古賀勝次郎訳、春秋社、一九八六年、六二頁〕。

(13) Hayek, 'Liberalism,' p. 141〔邦訳、一四五頁〕。

(14) *ibid.*, p. 148〔邦訳、一五二頁〕。

第六章　哲学的リベラリズム——正義の理想化

(1) John Rawls, *A Theory of Justice* (Oxford: Oxford University Press, 1971), p. 3〔ジョン・ロールズ『正義論 改訂版』川本隆史・福間聡・神島裕子訳、紀伊國屋書店、二〇一〇年、六頁〕。彼は現実主義的ユートピアという考えを、次の著作で論じている。J. Rawls, *The Law of Peoples* (Cambridge, MA: Harvard University Press, 1999), pp. 11-23〔ジョン・ロールズ『万民の法』中山竜一訳、岩波書店、二〇〇六年、一五―三二頁〕。ロールズのミニマリスト的リベラリズムについては、J. Rawls, *Political Liberalism* (New York: Columbia University Press, 1996) を参照。

(2) 個人の発展に関する、ハーバート・アスキスのコメントは、庶民院でなされた彼の演説のなかにある。*Hansard*, 4th Series, 18 April 1907.

(3) 中立性をめぐるロールズとドゥオーキンの見解については、以下を参照のこと。J. Rawls, *Political Liberalism, op. cit.*, p. 161; and R. Dworkin, 'Liberalism' in R. Dworkin, *A Matter of Principle* (Clarendon Press: Oxford, 1986), pp. 181-204〔ロナルド・ドゥオーキン『原理の問題』森村進・鳥澤円訳、岩波書店、二〇一二年、二四五―二七六頁〕。

（4） H. Croly, *The Promise of American Life* (New York: Macmillan, 1909), p. 192.

（5） G. F. Gaus, *Justificatory Liberalism* (Oxford: Oxford University Press, 1996), pp. 293–4.

（6） B. Williams, *In the Beginning was the Deed* (Princeton: Princeton University Press, 2005), especially pp. 1–18.

（7） I. Berlin, *Four Essays on Liberty* (Oxford: Oxford University Press, 1969)〔アイザイア・バーリン『自由論』小川晃一・小池銈・福田歓一・生松敬三訳、みすず書房、一九七一年〕。この著作には、リベラリズム思想に関する彼の最も有名な分析と、自由概念に関する彼の議論が含まれている。

第七章　悪用、誹謗、堕落——リベラリズムの苦境

（1） J. Szacki, *Liberalism after Communism* (Budapest: Central European University Press, 1995), p. 109.

（2） G. Sørensen, *A Liberal World Order in Crisis* (Ithaca, NY: Cornell University Press, 2011), p. 54.

（3） R. H. Tawney, *Equality* (London: George Allen & Unwin, 1938 edn), p. 208〔R・H・トーニー『平等論』岡田藤太郎・木下建司訳、相川書房、一九九四年、一九九頁〕。

（4） H. J. Laski, *The Rise of European Liberalism* (London: Unwin Books, 1962 [1936]), pp. 167–8〔ハロルド・ラスキ『ヨーロッパ自由主義の発達』石上良平訳、みすず書房、一九五一年、二六六頁〕。

（5） J. H. Hallowell, *The Decline of Liberalism as an Ideology* (Berkeley, CA: University of California Press, 1943)〔J・H・ハロウェル『イデオロギーとしての自由主義の没落』石上良平訳、創元社、一九五三年〕。

（6） 一九八八年の大統領選キャンペーンに関するコメントは、以下の著作にある。P. M. Garry, *Lib-*

eralism and American Identity (Kent, Ohio: Kent State University Press, 1992), p. 10.

(7) J. S. Mill, 'On Liberty' in J. M. Robson (ed.), *Essays on Politics and Society, Collected Works of J. S. Mill*, vol. 18 (Toronto: University of Toronto Press, Routledge and Kegan Paul, 1977), p. 224〔J・S・ミル『自由論』関口正司訳、岩波文庫、二〇二〇年、二九頁〕。

(8) W. Lippmann, *Public Opinion* (New York: Macmillan, 1922)〔W・リップマン『世論』上・下、掛川トミ子訳、岩波文庫、一九八七年〕。

(9) L. Chiozza Money, *Insurance versus Poverty* (London: Methuen and Co, 1912), p. 7.

(10) J. S. Mill, 'The Subjection of Women' in J. M. Robson (ed.), *Essays on Equality, Law and Education, Collected Works of J. S. Mill*, vol. 21 (Toronto: University of Toronto Press, Routledge and Kegan Paul, 1984), p. 264〔J・S・ミル『女性の解放』大内兵衛・大内節子訳、岩波書店、一九五七年、四四頁〕。

(11) L. T. Hobhouse, *Liberalism* (London: Williams and Norgate, 1911), p. 51〔L・T・ホブハウス『自由主義——福祉国家への思想的転換』吉崎祥司監訳、大月書店、二〇一〇年、三九頁〕。

(12) G. de Ruggiero, *The History of European Liberalism* (Boston: Beacon Press, 1959 [1927]), p. 390.

(13) Hobhouse, *op. cit.*, pp. 250–1〔邦訳、一八四頁〕。

図版出典

図1（一四ページ） www.BeingLiberal.org

図2（三七ページ） The Granger Collection/TopFoto

図3（八一ページ） © Classic Image/Alamy

文献案内

第一章　甍連なる大御殿――多様性の確認

リベラリズムについて書かれた文献は、一人がまともに検討しうる量を凌駕するほど膨大な数にのぼる。まずリベラリズムの歴史については、昔に書かれたものであるが今日でも影響力のある文献として、G. de Ruggiero, *The History of European Liberalism* (Boston: Beacon Press, 1959［初出 1927］）とL. Hartz, *The Liberal Tradition in America* (New York: Harcourt, Brace and World, 1955)〔ルイス・ハーツ著、有賀貞訳『アメリカ自由主義の伝統』講談社学術文庫、一九九四年〕の二点を挙げたい。その他の興味深い研究として、J. G. Merquior, *Liberalism, Old and New* (Boston: Twayne Publishers, 1991）や、J. A. Hall, *Liberalism* (London: Paladin, 1988)、R. Bellamy, *Liberalism and Modern Society* (Cambridge: Polity Press, 1992）がある。アメリカの文脈についての優れた文献として、P. Starr, *Freedom's Power: The True Force of Liberalism* (New York: Basic Books, 2007）がある。近年のリベラリズムについては、Edmund Fawcett, *Liberalism: The Life of an Idea* (Princeton: Princeton University Press, 2014）を挙げたい。リベラリズムを歴史的失敗と捉える批判的研究として、D. Losurdo, *Liberalism: A Counter-History* (London: Verso, 2011）を参照。

リベラル・イデオロギーの哲学的側面についての最良の文献は、今なおL. T. Hobhouse, *Liberalism*（London: Williams and Norgate, 1911）〔L・T・ホブハウス著、吉崎祥司監訳『自由主義——福祉国家への思想的転換』大月書店、二〇一〇年〕である。

アメリカにおけるリベラリズムへの哲学的アプローチの道しるべは、J. Rawls, *Political Liberalism*（New York: Columbia University Press, 1996）および、R. Dworkin, 'Liberalism' in R. Dworkin, *A Matter of Principle*（Oxford: Clarendon Press, 1986）〔ロナルド・ドゥオーキン著、森村進・鳥澤円訳『原理の問題』岩波書店、二〇一二年〕である。ロールズの政治哲学に対する初期の重要な批判として、M. Sandel, *Liberalism and the Limits of Justice*（Cambridge: Cambridge University Press, 1982）〔M・J・サンデル著、菊池理夫訳『リベラリズムと正義の限界』勁草書房、二〇〇九年〕がある。

イデオロギーの形態学については、M. Freeden, *Ideology: A Very Short Introduction*（Oxford: Oxford University Press, 2003）、およびM. Freeden, L. T. Sargent, and M. Stears (eds.), *The Oxford Handbook of Political Ideologies*（Oxford: Oxford University Press, 2013）所収の、'The Morphological Analysis of Ideology' と 'Liberalism' の章を読まれたい。

リベラル・フェミニズムとその批判については、S. Moller Okin, *Justice, Gender, and the Family*（New York: Basic Books, 1989）〔スーザン・M・オーキン著、山根純佳・内藤準・久保田裕之訳『正義・ジェンダー・家族』岩波書店、二〇一三年〕およびA. M. Jaggar, *Feminist Politics and Human Nature*（Totowa, NJ: Rowman and Littlefield, 1983）を読まれたい。

第二章　リベラルの物語

マキアヴェッリの共和主義についての示唆に富む入門書として、Q. Skinner, *Machiavelli* (Oxford: Oxford University Press, 1981)〔クェンティン・スキナー著、塚田富治訳『マキアヴェッリ——自由な哲学者』未來社、一九九一年〕。マキアヴェッリ自身は初期リベラルではなかったが、彼の共和主義思想と市民的精神に基づく参加型社会の肯定は、二〇世紀のリベラリズムの言説にも浸透したものである。Q. Skinner, *Liberty before Liberalism* (Cambridge: Cambridge University Press, 1998)〔クェンティン・スキナー著、梅津順一訳『自由主義に先立つ自由』聖学院大学出版会、二〇〇一年〕も参照されたい。

私的所有をめぐるイギリスのリベラル達の相対立する見解については、R. Muir, *The New Liberalism* (London: The Daily News Ltd, n.d. [1923]) および J. A. Hobson, *Property and Improperty* (London: Victor Gollancz, 1937) を参照。

デュルケムのリベラリズムについては、W. Logue, *From Philosophy to Sociology: The Evolution of French Liberalism, 1870–1914* (Dekalb, IL: Northern Illinois University Press, 1983)〔ウィリアム・ローグ著、南充彦他訳『フランス自由主義の展開　1870～1914——哲学から社会学へ』ミネルヴァ書房、一九九八年〕がある。

一九世紀のイギリス自由党については、W. Lyon Blease, *A Short History of English Liberalism* (London: T. Fisher Unwin, 1913) を参照。

ジェレミー・ベンサムの功利主義的個人主義を示した最も明解なテクストは、彼の *An Introduction to the Principles of Morals and Legislation*（New York: Dover Publications, 2007）〔ベンサム著、山下重一訳『道徳および立法の諸原理序説』（抄訳）（関嘉彦編『ベンサム　J. S. ミル』世界の名著49、中央公論社、一九七九年に所収）〕である。

ヘーゲルの倫理学・政治哲学を示した権威あるテクストは、彼の *Elements of the Philosophy of Right*（Cambridge: Cambridge University Press, 1991）〔ヘーゲル著、藤野渉・赤沢正敏訳『法の哲学　I・II』中央公論新社、二〇〇一年〕である。

マッツィーニの愛国主義の勧めについては、彼の *The Duties of Man*（London: Chapman and Hall, 1862）〔マッツィーニ著、齋藤ゆかり訳『人間の義務について』岩波文庫、二〇一〇年〕を参照。

ニューリベラリズムにおける社会概念の重要性については、J. A. Hobson, *The Social Problem*（London: James Nisbet & Co. 1901）をみよ。

リベラル達による社会進化論は、D.G. Ritchie, *Darwinism and Politics*（London: Swan Sonnenschein, 1901）や、L. T. Hobhouse, *Social Evolution and Political Theory*（New York: Columbia University Press, 1911）で展開されている。

イギリスの社会的リベラリズムの分析に関しては、M. Freeden, *The New Liberalism: An Ideology of Social Reform*（Oxford: Clarendon Press, 1978）および M. Freeden, *Liberalism Divided: A Study in British Political Thought 1914-1939*（Oxford: Clarendon Press, 1986）を

参照。

第三章　リベラリズムという重層

北欧のリベラリズムについては、I. K. Lakaniemi, A. Rotkirch, and H. Stenius (eds.), *"Liberalism": Seminars on Historical and Political Keywords in Northern Europe* (Helsinki: Renvall Institute, 1995) を参照。

リベラリズムへの時間や時間性の組み入れについては、M. Freeden, *Liberal Languages: Ideological Imaginations and Twentieth-Century Progressive Thought* (Princeton, NJ: Princeton University Press, 2005) の第一章をみよ。

帝国主義についての精緻な議論として、以下の諸文献を参照。J. Darwin, *Unfinished Empire: The Global Expansion of Britain* (London: Penguin Press, 2012); H. C. G. Matthew, *The Liberal Imperialists* (Oxford: Oxford University Press, 1973); D. Chakrabarty, *Provincializing Europe: Postcolonial Thought and Historical Difference* (Princeton, NJ: Princeton University Press, 2000).

アイデンティティと差異については、I. M. Young, *Justice and the Politics of Difference* (Princeton, NJ: Princeton University Press, 1990)〔アイリス・マリオン・ヤング著、飯田文雄ほか監訳『正義と差異の政治』法政大学出版局、二〇二〇年〕および A. T. Baumeister, *Liberalism and the 'Politics of Difference'* (Edinburgh: Edinburgh University Press, 2000) をみ

よ。

インドのリベラリズムについては、R. Bhargava, *The Promise of India's Secular Democracy* (New Delhi: Oxford University Press, 2010) および R. Bajpai, *Debating Difference: Group Rights and Liberal Democracy in India* (New Delhi: Oxford University Press, 2011) を参照。

オランダのリベラリズムについては、H. te Velde, 'The Organization of Liberty: Dutch Liberalism as a Case of the History of European Constitutional Liberalism', *European Journal of Political Theory*, vol. 7 (2008), pp. 65-79 を参照。

スカーフ着用問題に対するリベラリズムの立場からの議論については、C. Laborde, *Critical Republicanism: The Hijab Controversy and Political Philosophy* (Oxford: Oxford University Press, 2008) および K. A. Beydoun, '*Laïcité*, Liberalism, and the Headscarf', *Journal of Islamic Law and Culture*, vol. 10 (2008), pp. 191-215 を参照されたい。

第四章　リベラリズムの形態学

「本質的に論争的な概念」については、W. B. Gallie, 'Essentially Contested Concepts', *Proceedings of the Aristotelian Society*, vol. 56 (1955-6), pp. 167-98 および D. Collier, F. D. Hidalgo, and A. O. Maciuceanu, 'Essentially Contested Concepts: Debates and Applications', *Journal of Political Ideologies*, vol. 11 (2006), pp. 211-46 を参照。

リベラリズムの思想や概念の中身については、以下の諸文献をみよ。W. A. Galston, *Liberal*

Purposes (Cambridge: Cambridge University Press, 1991); S. Macedo, *Liberal Virtues* (Oxford: Clarendon Press, 1991)〔スティーヴン・マシード著、小川仁志訳『リベラルな徳』風行社、二〇一四年〕、G. F. Gaus, *Political Concepts and Political Theories* (Boulder, CO: Westview Press, 2000).

リベラリズムの比較考察については、M. Freeden, 'European Liberalisms: An Essay in Comparative Political Thought', *European Journal of Political Theory*, vol. 7 (2008), pp. 9–30を参照されたい。

第五章　リベラルの名士達

この章で取り上げた思想家達については、第一章の文献案内で挙げた入門書からさらに深く学ぶことができるだろう。

マックス・ウェーバーの思想については、以下の二文献を挙げておく。H. H. Gerth and C. W. Mills (eds.), *From Max Weber* (New York: Oxford University Press, 1946); P. Lassman and R. Speirs (eds.), *Weber: Political Writings* (Cambridge: Cambridge University Press, 1994).

第六章　哲学的リベラリズム――正義の理想化

A. Gutmann, *Liberal Equality* (Cambridge: Cambridge University Press, 1980) は、示唆に富むリベラル平等主義の議論を展開している。

リベラル・コミュニタリアン論争については多くの文献がある。以下の諸文献から多様な見解を学ぶことができるだろう。M. Sandel, *Liberalism and the Limits of Justice* (Cambridge: Cambridge University Press, 1982)〔M・J・サンデル著、菊池理夫訳『リベラリズムと正義の限界』勁草書房、二〇〇九年〕、S. Mulhall and A. Swift, *Liberals and Communitarians* (Oxford: Blackwells, 1996)〔スティーヴン・ムルホール／アダム・スウィフト著、谷澤正嗣・飯島昇藏他訳『リベラル・コミュニタリアン論争』勁草書房、二〇〇七年〕、C. Taylor, 'Cross-Purposes: The Liberal-Communitarian Debate' in N. L. Rosenblum (ed.), *Liberalism and the Moral Life* (Cambridge, MA: Harvard University Press, 1989), pp. 159–82など。

リベラリズムの中立性については、R. E. Goodin and A. Reeve (eds.), *Liberal Neutrality* (London: Routledge, 1989) およびW. Kymlicka, 'Liberal Individualism and Liberal Neutrality', *Ethics*, vol. 99 (1989), pp. 883–905を参照。

政治的行為としての順位づけ (ranking) については、M. Freeden, *The Political Theory of Political Thinking: The Anatomy of a Practice* (Oxford: Oxford University Press, 2013), pp. 132–65を参照されたい。

バーリンの多元論については以下の諸文献を参照。G. Crowder, *Liberalism and Value Pluralism* (London: Continuum, 2002); J. Cherniss, *A Mind and its Time: The Development of Isaiah Berlin's Political Thought* (Oxford: Oxford University Press, 2013); G. Garrard, 'The Counter-Enlightenment Liberalism of Isaiah Berlin', *Journal of Political Ideologies*, vol. 2 (1997), pp. 281-96; G. F. Gaus, *Contemporary Theories of Liberalism* (London: Sage Publications, 2003).

第七章　悪用、誹謗、堕落——リベラリズムの苦境

ネオリベラリズムについては、M. Steger and R. K. Roy, *Neoliberalism: A Very Short Introduction* (Oxford: Oxford University Press, 2010) および M. Olssen, *Liberalism, Neoliberalism, Social Democracy* (Abingdon: Routledge, 2010)、また論文集 M. Thatcher and V. Schmidt (eds.), *Resilient Liberalism in Europe's Political Economy* (Cambridge: Cambridge University Press, 2013)、特に編集者の二人、A. Gamble、M. Ferrera の担当章を参照されたい。

東欧のリベラリズムについては、Z. Suda and J. Musil (eds.), *The Meaning of Liberalism: East and West* (Budapest: Central European University Press, 2000) をみよ。

リベラルな国際主義については、B. Jahn, *Liberal Internationalism* (Houndmills, Basingstoke: Palgrave Macmillan, 2013) を参照。

リベラルの「行き過ぎ」については、D. King, *In the Name of Liberalism: Illiberal Social Policy in the United States and Britain* (Oxford: Oxford University Press, 1999) をみよ。

リベラルのパターナリズムについては、M. Freeden, 'Democracy and Paternalism: The Struggle over Shaping British Liberal Welfare Thinking', in A. Kessler-Harris and M. Vaudagna (eds.), *Democracy and Social Rights in the "Two Wests"* (Torino: Otto, 2009), pp. 107-22 および W. Lippmann, *Public Opinion* (New York: Brace and Co., 1922)〔W・リップマン著、掛川ト

ミ子訳『世論 上・下』岩波文庫、一九八七年〕を参照されたい。

リベラリズムの契約論にみられるジェンダー抑圧については、C. Pateman, *The Sexual Contract* (Cambridge: Polity Press, 1988)〔キャロル・ペイトマン著、中村敏子訳『社会契約と性契約——近代国家はいかに成立したのか』岩波書店、二〇一七年〕を参照。

訳者解説

リベラリズムとは何か。この問いに答えることはきわめてむずかしい。それが個人の自由を重視する思想であることに、ひとまず異論はないだろう。人間の理性に価値を置く思想だと捉える人も多いかもしれない。だが意見の一致をみるのはここまでである。リベラリズムが、たとえば、市場経済、国家権力、性差別に対していかなる主張をする思想であるかと問われると、わたし達の認識はたちまち拡散・対立してしまう。じじつ、富の私的所有と市場での自由競争、およびその帰結としての経済格差を正当化する思想であると一九世紀にマルクスが捉えたリベラリズムは、富への課税による経済的平等の推進を唱える二〇世紀の政治哲学者ロールズのリベラリズムとは、大きな隔たりがある。国家権力への警戒に満ち満ちたハイエクのリベラリズムと、国家による安定的な経済運営の理論化に注力したケインズのそれとのあいだも同様である。多くのフェミニスト達は、リベラリズムによる公私領域の区別が、女性差別の強化温存につながったと批判する。だがその一方で、リベラリズムを慣習的な性規範に囚われない自由で多様な生き方を肯定する思想だとみなす人も多いであろう。

リベラリズムをめぐるこうした相矛盾する認識は、いったい何に由来するのだろうか。ひとつの要因は、それが現実の政治・社会に思想的影響を及ぼしてきた歴史の長さにある。立憲主義や法の支配、私的所有権、市場経済、市民的自由といった近代の諸原理は、ジョン・ロックやアダム・スミスなど、一七世紀から一八世紀にかけてのリベラルな思想家達によって提唱されたものであった。それは、最大多数の最大幸福という功利主義の倫理を法や社会制度の基礎原理に据えたベンサムやJ・S・ミルらが唱えた一九世紀のリベラリズムとは、力点や性格を大きく異にするものである。そして二一世紀の現代、わたし達はリベラリズムが今なお社会の基礎原理であり続けている事実を見出す——昨今のリベラリズムは、「危機」とか「ゆらぎ」といった言葉とともに語られることが多いが、それは逆説的にもリベラリズムの影響力の持続性を示すものであろう。しかしながら、今日のリベラリズムが擁護するジェンダーやエスニシティ、セクシュアリティの多様性や、福祉国家といった諸論点もまた、一九世紀以前のリベラリズムの思想内容とは大きく異なっている。ことほどさように、リベラリズムは多義的で全体像の把握が困難な思想となっており、今日では、各自の思い思いの部分が切り取られた上での、リベラリズムに対する批判と擁護の応酬が繰り広げられている状況である。

本書は、こうした相矛盾するイメージをもたれがちなリベラリズムという思想の交通整理を行うものである。比較的小著でありながら、リベラリズムの歴史と理論、実際の政治や政策との関わりまでが本書では幅広く考察の対象とされており、これらを通して、リベラリズムがいったい何であり、何でないか（なかったか）が、考察されている。そして議論の全体を貫くのが、「形態学アプローチに基づくイデオロギー研究」という、著者マイケル・フリーデン独自の方法論である。以下ではフリーデンの経歴を簡単に振り返りつつ、彼の研究の方法的特徴および本書がわたし達のリベラリズムへの理解にいかなる貢献をもたらしてくれるかを見ていきたい。

マイケル・フリーデンは、一九四四年にドイツ系ユダヤ人の両親のもとにロンドンで生まれた。[1] イギリスにおける主流派の宗教であった英国国教会に対抗する非国教会系の新聞「ニューズ・クロニクル」を読む両親の影響で、早熟なフリーデンもまた自然とリベラルな精神を身につけたという。幼少期をハムステッドで過ごしたフリーデンは、第二次世界大戦後、一家でエルサレムに移住する。ユダヤ人の一家ではあったものの、彼らのライフスタイルはむしろドイツ的であり、幼いフリーデン自身はイギリス文化に親しんでいたこともあって、イスラエルの生活にはなじめなかったようである。イスラエル社会の閉鎖性や伝統主義に対してフリーデンはつねに違和感をもち、シオニズムに共感することもなかった。エルサレムへの移住後間もなくして、シオニスト運動の指導者でイスラエル初代大統領のハイム・ヴァイツマンが死亡するが、学校で教師達が一様に示した喪の感情に、彼は全体主義の傾向すら感じとったという。このイスラエルでの経験が、もともとあった彼のリベラルな精神をさらに強めることとなった。

ヘブライ大学を卒業したのち大学院に進学したフリーデンは、権威主義的な指導教官と肌があわず、ほどなくしてイギリスに戻り、オックスフォード大学セントアントニーズ・カレッジの博士課程でモーリス・ショック教授の指導を受けた。ニューリベラリズム研究によって博士号（D. Phil）を取得した後は、イスラエルのハイファ大学講師のポストを経て、一九七八年にオックスフォード大学マンスフィールド・カレッジの政治学フェローとなる。以後は二〇一一年に同大学の教授職を退官するまで三〇年以上にわたって同カレッジの「支柱（mainstay）」（p. xii）であり続けた。退官後はノッティンガム大学政治学教授を数年間つとめたのち、二〇二一年一月現在はSOAS（ロンドン大学東洋アフリカ研究学院）に所属し、今なお旺盛に研究活動を続けている。

興味深いことに、フリーデンがイスラエルで抱いていた「異邦人」としての感覚は、オックスフォード大学の政治学コミュニティにおいても存続したようである。就職したての頃について、フリーデンは次のように回顧している。

博士課程を過ごしたオックスフォードのセントアントニーズ・カレッジのフェローとしてイギリスに戻った後、私はマンスフィールド・カレッジとオックスフォード大学で政治理論のテニュア職を得た。当時、一九七〇年代から八〇年代のオックスフォードでは、〔ハイファよりも〕はるかに分析的政治哲学のアプローチが流行していた。カレッジと学部で政治理論を教えることになったので、新任教員が行うべきと思われたことを私も行った。オックスフォードの全科目の試験と授業内容についての手引きが記された、神聖なる要綱「グレイブック（Grey Book）」を紐解いたのである。「政治の理論」の最初のページには、「政治分析に用いられる価値や概念についての批判的研究」との科目の説明があり、基礎的概念やイデオロギーのリストがそれに続いた。いささかナイーブにも、私はこれらの指示をまじめに受け入れ、さっそく政治に関する諸概念の構成についての探究を始めた。私は、この頃オックスフォードの同僚たちが、概念そのものではなく概念を用いた主要な哲学者達の議論に注力していたことに、ほとんど気づいていなかったのだ。（p. 261）

すでにこのとき、フリーデンの研究は、二重の意味でオックスフォードにおける主流派の政治思想研究とは異なるものであった。第一に、彼が扱ったのは、ロックやミルといった異論の余地なきリベラリズムの「偉人たち（Greats）」ではなく、J・A・ホブスンやL・T・ホブハウスら、既存の政治思想研究においてそれほど注目されることのなかった一九世紀から二〇世紀にいたる世紀転換期のニューリベラル達の思想であった。第二に、彼の関心は「概念そのものではなく概念を用いた主要な哲学者達の議論に注力していた」同僚とは異なり、知識人や政治家、官僚、ジャーナリストらによってもまた共有される、政治的概念の集合体としてのイデオロギーに向いていた。フリーデンのリベラリズム研究は、当初からニューリベラリズム研究およびイデオロギー研究として行われていたのである。

フリーデンの第一作『ニューリベラリズム』（1978）は、ケンブリッジ大学の歴史家ピーター・クラークの『ランカシャーとニューリベラリズム』（1971）や『リベラル達と社会民主主義者達』（1978）、ステファン・コリーニの『リベラリズムと社会学』（1979）と並び、今日までニューリベラリズム研究の代表作と目されている。(2) 注目すべきは、クラークやコリーニらと比較した際のフリーデンの研究の方法的特徴である。クラークやコリーニは、歴史家としてのアイデンティティを重視する（とくにコリーニは、クエンティン・スキナーの知性史研究（intellectual history）への依拠を隠さない）[3]。ゆえに両者の研究は、フォーマルな一次文献（著作、論文など）のテクスト分析よりも手紙や日記などインフォーマルな史料の解読を通した各時代の思想史的コンテクストの再現を重視したものであった。

これに対してフリーデンのアプローチは、ニューリベラリズムを素材として世紀転換期の政治史・知性史を描くというよりは、ニューリベラリズムの思想や政策の内容分析に重きをおく、より政治学的なものであった。おそらくはその方法と関心の違いゆえ、クラークとコリーニがほどなくしてニューリベラリズム研究から離れていったのに対して、フリーデンはその後も一貫してリベラリズム研究を続けた。その成果である第二作『分裂するリベラリズム』[4]（1986）は、戦間期イギリスのリベラリズムの変遷を対象とした政治思想史研究である。同書でフリーデンは、自由党の衰退とは裏腹に、イデオロギーとしてのリベラリズムが第一次大戦以後も左右に分裂しつつもその命脈を保ったこと、とりわけ左派リベラリズムの側が、労働党社会主義イデオロギーの重要な一端を形成したことを示した。

これらの二作は、ニューリベラリズム研究者としてのフリーデンの学界での地位を揺るぎないものとした。彼の研究は、世紀転換期のリベラリズムを相対的に軽視するそれまでの政治思想史研究の傾向――この時代はリベラリズムにとっての冬の時代でありジョン・ロールズの出現までそれは続いたとする理解――を修正し、哲学的体系性のみならず政治的影響力や政策的構想力も備えた強力なリベラリズムのイデオロギーがこの時代に存在していたことを、説得的に示したのである。

フリーデンはオックスフォード大学の政治思想研究者であったが、他方で彼の研究は同大学の政治思想研究において主流派であった分析的政治哲学とも一定の距離を置くものであった。フリーデンは分析的政治哲学に対して、それがディシプリンとして洗練されればされるほど、現実政治との接点が弱まっていったとの不満を感じていたようである（本書第六章でもこのアプローチに基づくリベラリズム研究への批判的見解を随所に見て取ることができる）。分析的政治哲学は、ある概念の精緻化・明晰化はできても、それがなぜ他の概念よりも現実政治に影響を与えてきたのかについての考察はできない。それは政治学者または社会学者の仕事だと分析的政治哲学者達はいうが、政治思想研究もまた政治学の一分野として、現実政治そのものの分析に切り込むべきではないのか。フリーデンのこのような認識が、形態学アプローチに基づくイデオロギー研究の形成へとつながったのである。

フリーデンはこのイデオロギー研究の方法論を、『イデオロギーと政治理論』（1996）で体系的に示した。(5) 政治思想史と分析的政治哲学の方法的架橋、議会議事録や新聞・雑誌など現実政治に肉薄した多様な一次資料の活用、既存研究で否定的に語られがちであったイデオロギー概念の洗練化と有効性の提示、これらを説得的に行った同書は、大きな反響を呼ぶ。同年フリーデンは学術誌*Journal of Political Ideologies*の立ち上げにも携わり、長く編集長の地位に就いた（同誌は今日も学際的なイデオロギー研究のハブ的役割を担っている）。オックスフォード大学出版局が定評ある*Very Short Introductions*シリーズの一冊に「イデオロギー」をあて、その執筆をフリーデンに依頼した事実は、彼のイデオロギー研究の重要性が広く認識されたことのあらわれだといえるだろう。[6]

フリーデンのイデオロギー概念は、ひとことで言えば「政治的行為を促す概念の集合体」と定義できる。[7] この定義が示すように、イデオロギー研究は政治の実践面（行為）と理論面（概念）の双方にまたがるアプローチである。前者を重視するがゆえに、イデオロギー研究は、分析的政治哲学が通常は扱わない資料――ポスターや映画、スピーチなど――もまた重要なテクストとする。本書八九頁で示されるロイド＝ジョージの社会改革を宣伝したポスターは、その好例である。このポスターは、イラスト（病人に優しげに語りかけるロイド＝ジョージ）やレトリック（「希望の夜明け」という題目、夜明けのように立ち上る「病気や障害と闘う国民保険」というメッセージ）を通して、読者に「自由党の社会改革への支持」という政治的行為を促している。こうした手法が奏功して得られた国民的支持を背景に、ロイド＝ジョージは党内や貴族院の反対を抑え、一九一一年にニューリベラリズムによる社会改革の象徴となる国民保険法を成立させたのである。このように、いかなるメディアや言説が政治的行為の動員に成功するかは、そのときどきのテクノロジーの様態やイデオロギーの生産者－消費者間の力学など、経済・社会・文化的コンテクストに大きく依拠する。ゆえにイデオロギー研究は、政治学はもちろんのこと社会学や歴史学とも連携する学際的なアプローチなのである。

第二に、イデオロギーは「概念の集合体」であるから、概念分析こそがフリーデン流のイデオロギー研究のもうひとつの柱となる。「形態学アプローチ（morphological approach）」と呼ばれる彼の概念分析の特徴は、本書第四章でも詳細に説明されている。すなわち、イデオロギーを〈中核－隣接－周辺〉概念の集合と捉え、それぞれの内容と相互作用を見極めることである。フリーデンによれば、すべてのイデオロギーは歴史的に二重のしかたでその内容を変化させてきた。第一に、〈中核－隣接－周辺〉に位置づけられる諸概念の組み合わせのあり方を変えることによってであり、第二に、概念の意味を「脱論争化（de-contestation）」（＝他の意味を排除することによって特定の意味を定着化）させることによってである。第三章で示される「リベラリズムの五つの層」は、〈中核－隣接－周辺〉の組み合わせがリベラリズムの歴史の中で絶えず変化したことを、複数のパラフィン紙の比喩によって巧みに示すものである。第三章では、リベラリズムの代表的思想家達によってひとつの概念が異なる仕方で脱論争化された歴史的過程も示されている（たとえばトマス・ヒル・グリーンは、「自由の意味合いをめぐってリベラル達のあいだに存在する、根本的な意見の不一致の形成に貢献していた」（一三九頁）人物であった）。形態学アプローチは、リベラリズムが多様でときには相矛盾する思想内容をこれまでにもってきたこと、にもかかわらず、そこには常にひとつのイデオロギーとしての共有部分——中核的概念——が存在し続けたことを、同時に示すものである。フリーデンは、ここにリベラリズムをリベラリズムたらしめる要因を見出すのだ。

歴史を貫くリベラリズムの共有部分たる中核的概念とは、いかなる概念だろうか。フリーデンは第四章で、それを〈自由・合理性・個性・進歩・社会性・一般的利益・（制限された）権力〉の、七つの概念に見出している。あるイデオロギーにとって何が中核的概念であるかは、当該イデオロギーを擁する個人・組織の言説を、時代および地域横断的に比較検証することから見出されるとフリーデンは述べる。重要なことは、あるイデオロギーを構成する〈中核-隣接-周辺〉の諸概念の同定は、政治的言語の慎重かつ広範な経験的検証を経てなされるべきであり、特定の研究者や思想家が専断的に行ってはならないということである。後者は、それ自体が概念の「脱論争化」の一ケースとみなされるものであるか、あるいはイデオロギーの「悪用」（第七章）と評価しうる場合さえある。こうしたイデオロギーの「悪用」の一例として、本書はハイエクの思想に代表され、一九八〇年代以降の現実政治にも大きな影響力を与えたネオリベラリズムを挙げている。ネオリベラリズムは、自由と合理性というリベラリズムの中核的概念の一部（それもきわめて制限的な意味での）を過度に強調し、過去のリベラリズムが育んだ他の概念を切り捨てる。フリーデンによれば、それは「リベラリズムのまさしく中心に位置すべき最低限の要素をそなえていない」（二九七頁）ものなのである。

リベラリズムをリベラリズムたらしめる中核的概念を上の七つに見出すフリーデンの見方に対しては、たとえば「権利」や「デモクラシー」は入らないのか、とか、「社会性」を入れるのは第四層のニューリベラリズムに肩入れしすぎた解釈ではないか、などの異論を提起することが可能であろう。だがこうした批判は、イデオロギー研究を活発化させるものとして、フリーデンのむしろ歓迎するところであろう。イデオロギー研究は規範研究ではなく実証研究であると主張するフリーデンであるが、その主張を支えているのは、批判に対して開かれた個性的かつ自由闊達な研究によって認識の進歩がもたらされ、それによって社会の一般的利益もまた促進されるとする、彼自身のリベラルなイデオロギーに他ならないからである。

寺尾範野

【注】

（1） フリーデンの生い立ちについては、彼の友人でオックスフォード大学の同僚でもあったDavid Marquandが以下の本に寄せた序文に依拠している。なお、文中の引用箇所の頁数も同書のものである。Jackson, B. and Stears, M.（eds.）（2012）*Liberalism as Ideology: Essays in Honour of Michael Freeden*, Oxford: Oxford University Press.

（2） Freeden, M.（1978）*The New Liberalism: An Ideology of Social Reform*, Oxford: Clarendon Press; Clarke, P. F.（1971）*Lancashire and the New Liberalism*, Cambridge: Cambridge University Press; Clarke, P.（1978）*Liberals and Social Democrats*, Cambridge: Cambridge University Press; Collini, S.（1979）*Liberalism and Sociology: L. T. Hobhouse and Political Argument in England, 1880–1914*, Cambridge: Cambridge University Press.

（3） Collini, *Liberalism and Sociology*, p. vii.

（4） Freeden, M.（1986）*Liberalism Divided: A Study in British Political Thought 1914–1939*, New York: Oxford University Press.

（5） Freeden, M.（1996）*Ideologies and Political Theory: A Conceptual Approach*, Oxford: Oxford University Press.

（6） Freeden, M.（2003）*Ideology: A Very Short Introduction*, Oxford: Oxford University Press.

（7） フリーデンのイデオロギー研究の解説として、以下の拙稿も参照されたい。寺尾範野（2019）

「イデオロギー研究は「政治における正しさ」について何をいいうるか――マイケル・フリーデンの諸研究の検討を通して」田畑真一・玉手慎太郎・山本圭編著『政治において正しいとはどういうことか――ポスト基礎付け主義と規範の行方』勁草書房、第五章。

訳者あとがき

本書は、Michael Freeden, *Liberalism: A Very Short Introduction*, Oxford: Oxford University Press, 2015. の翻訳である。副題からわかるように、これは良質な学術的入門書・啓蒙書を提供することで評判を得ているＯＵＰの *Very Short Introductions* シリーズの一冊であり、同様の使命を負ったちくま学芸文庫に、翻訳書として加えるにふさわしいものだといえる。著者のフリーデンは、イデオロギーとしてのリベラリズム研究の、自他ともに認める第一人者である。彼については、共訳者の一人である寺尾範野による本書の解説を読んでいただきたい。

今、なぜわざわざリベラリズムの解説書を翻訳する必要があるのか。この問いに関する訳者の考えを示しておく必要はあるだろう。巷には、リベラリズムの終焉を唱えたり、「アフター」「ポスト」といった接頭語によって、リベラリズムを乗り越えられたもの、時代遅れとなったものと表象したりする本が溢れている。現在の政治言説においても、「リベラル」であるというレッテルは、必ずしも肯定的な響きを生んでいない。リベラルとはサヨクの別名、非現実的な夢想家、時代遅れの西洋的価値（例えば普遍主義）にしがみつく者、市場主義や男性中心主義を隠蔽する偽善者、等などを表すといったイメージが思い浮かぶ。他方、学術的な言説において、リベラリズムが不評なのは最近のことではない。冷戦の頃、リベラリズムはしばしば反動のイデオロギーとされたし、冷戦後、リベラリズムは勝利したかに見えたが、共同体主義《コミュニタリアニズム》やフェミニズム、多文化主義、ポストモダニズム等からの攻撃にさらされてきた。とはいえ、政治理論という学問領域においては、ロールズやドゥオーキンといったリベラリズムの守護者がいただけましである。しかしこうした僥倖は、学問的な政治理論が現実の政治への影響力を失っていく時代にあっては、リベラリズムを救うものにはなっていないように思える。

リベラリズムの評価における、著しい振動と多様性を、どうとらえたらよいのだろうか。わたし達の社会は、もう十分にリベラルになったから、不要だということなのか。それとも幸いにしてリベラリズムに汚染されきっていないのだから、リベラル化を止めるべきだというのだろうか。その場合、リベラリズムそのものが悪しきものだからなのか、それともリベラリズムが時代遅れなものだからなのか。こうした論争を収めるには、わたし達の社会の分析も必要だが、何よりもリベラリズムの意味を定める必要があるように思える。

しかしながら、このリベラリズムの意味そのものが、何ともつかみどころのないものなのであり、「リベラリズムとは何か」という問いそのものが激しい論争を惹起してしまう。何よりも問題なのは、こうした論争の激化がリベラリズムについて語る人びとに起因するというよりは、リベラリズムという観念そのものに依るようにみえることである。政治の思想や理論を研究する者に期待されるのは、こうした観念をどう扱ったらよいのかを説明することであろう。その際に、少なくとも二つのタイプの説明が考えられる。第一は、政治的にではなく学問（哲学）的に、一つの解釈を最善のものとして提示するというタイプである。この場合でもおそらく、「何らかの仮定において」という前提の設定が必要になり、そうした前提そのものの妥当性をめぐる論争を惹起してしまうであろう。とはいえ、学問的な正当化を経た最善の解釈を提示することそのものに、十分な価値は認められるはずである。第二のものとして、リベラリズムにある論争性を、ある程度コントロール可能なものとして理解する方法を示すようなタイプがある。これには、概念の本質的論争可能性といった考え方を駆使して、分析的に説明するタイプもあれば、概念の文脈的被拘束性を意識して、歴史的に説明するタイプもある。

フリーデンの研究は、第二のものに属し、分析的方法と歴史的方法を組み合わせて、独自のイデオロギー研究の方法を駆使している点にその特徴がある。つまり、イデオロギーという実践的な観念としてリベラリズムを分析することを目指しており、その研究の成果を、実際に人びとが政治的言説や判断のなかで活かしていけるような内容を提供することを誇るものなのである。フリーデンはリベラリズムへの敬意を隠さないが、それは哲学的な真理性というよりは、歴史のなかでリベラリズムが実際に果たしてきたその役割に基づいている。そしてたしかにフリーデンのリベラリズム理解は、イギリスの伝統をその中心においているが、他の文化圏への眼差しも、最低限度はらっているので、わたし達はそこからかなり公平なリベラリズム把握を得ることができるといえるだろう。

リベラリズムに関するこうした複雑な特徴をもつ説明を、ここまでコンパクトな内容にまとめ上げた本書は、「リベラリズムとは何か」という問いを抱く日本の読者に紹介する価値が大いにあると訳者は考えている。読者には、自分自身の力でリベラリズムの複雑性を把握し、そこからリベラリズムをめぐる自分自身の判断を形成する糧として、本書を利用していただきたいと願っている。

翻訳の方針は、原文に忠実でありながらも、できるかぎり読みやすいものにする、というものであった。したがって、英語の単語や文章が、そのまま日本語に対応するような努力はせず、むしろ日本語としての自然な流れが妨げられないようにした。英語では同じフレーズが、翻訳では文脈によって異なった訳語が与えられているケースがある。そのために、訳語にルビをふった場合もあった。とはいえ、原文の影響を受け、いかにも翻訳調といえる文章になっているものも多い。限られた時間での訳文の改善には限界もあった。読者の皆様には、寛容を願いたい。

訳語について一つだけ記しておきたい。ほかならぬ liberalism という語の訳としては、基本的に「リベラリズム」を採用したが、種々の理由を考慮して「自由主義」と表記した箇所もある。この二つの語の使い分けは、あくまでも個々のローカルな事情によるのであり、訳し分けによって何らかの意味づけがされているわけではないことを、ことわっておく。同様のことは、democracy のような言葉にもあてはまる。

翻訳の分担は以下のようになされた。第一、二、六、七章の下訳を森が、第三〜五章と文献紹介の下訳を寺尾が担当し、そのすべてを山岡が点検・修正し、それをさらに全員で点検するという手順で作業を行った。訳語の統一や最終判断は監訳者である山岡が行なったので、翻訳に残っているにちがいない過誤に関しての責任は、山岡にある。かかる過誤について、読者の方々からのご指摘がいただければ、大変ありがたいと思う。

文章中の（ ）は原文にある場合もあれば、読みやすさを考えて補ったものもある。〔 〕は訳者が言葉を補ったり、言葉に説明を加えたりする際に使用した。〈 〉も意味のとりやすさを意図して付けくわえたものである。原文で強調を表すイタリック化がなされた箇所には傍点を付している。引用に関しては、翻訳があるものは基本的に利用させていただいた。ただし、内容や表現を考えて、修正させていただいた場合もある。翻訳者の方々には感謝と御詫びを申し上げておきたい。

原著の発行以来、その翻訳の必要性を様々なところで耳にしてきた。とりわけ、ネオリベラリズムやポピュリズムの嵐が吹き荒れるなかで、本書のようにアカデミックな仕方でリベラリズムについて語ること、とりわけ知的な地図を提示することの重要性は、非常に高まっているように感じられた。そんな折、ちくま学芸文庫にふさわしい著作を尋ねられる機会があり、編集者の田所健太郎氏に本書を提案し、即座に採用されたわけである。幸いにも共訳者としてこのテーマに最もふさわしい二人を得られることになり、作業分担もすぐに決まった。フリーデンと交流があり、研究テーマも近い寺尾が、フリーデンについての解説を用意することにもなり、作業は順調に進んでいった。ところがそこでコロナ禍に襲われることになり、作業工程が一年ほど遅れることになってしまった。それでもこうして発行にこぎつけることができたのは、編集者の田所さんの寛容と協力のおかげである。ここに感謝の意を示したい。

原著者であるフリーデン教授にも御礼を申し上げたい。わたし達が翻訳を用意しており、その際、タイトルや章の題名について、若干の変更を希望していることを伝えると、即座に快諾をいただき、日本語版の序文も用意していただいた。リベラリズム、とくにニューリベラリズム研究において決定的に重要な研究者の著作を、日本語を読む皆様に届けることができることを誇りに思う。

御礼を伝えるべき人びとは他にも大勢いる。第一章の題名の訳語に関して、東海学院大学の富田理恵准教授に示唆を受けた。より普通に訳すなら「多くのすまいをもつ家」とでもするところを、インパクトのある、深い教養なしには思いつかない訳語を採用できたことに感謝したい。コロナ禍によって大学教員の仕事も、予想外の増加と複雑化を強いられている。そのような環境のなかで無事に訳業を完成できたのは、訳者三名のまわりで、その仕事と生活を支えてくれたさまざまな人びとのおかげである。改めて御礼を伝えさせていただきたい。

そもそもリベラリズムについて語る価値があるのか。訳者の三名とも、程度の違いはあれ、そうした価値を信ずる者である。フリーデンが抱くリベラリズムへの敬意は、究極的には彼の生き方（way of life）に基づく。訳者や読者が、この生き方の洞察と、どれほど共感できるかが、この本の価値評価に影響する。これは学問的な考察を超えた、実存的で、偶然性に左右される問題である。この本を手に取られた方が、その偶然性を大事にして、本書の理解に努めていただけることを、切に願っている。

二〇二一年一月

訳者を代表して　山岡龍一

本書は、ちくま学芸文庫のために新たに訳出されたものである。

重力と恩寵
シモーヌ・ヴェイユ　田辺保 訳
「重力」に似たものから、どのようにして免れればよいのか……ただ「恩寵」によって。苛烈な自己無化への意志に貫れた、独自の思索の断想集。ティボン編。

工場日記
シモーヌ・ヴェイユ　田辺保 訳
人間のありのままの姿を知り、愛し、そこで生きたい——女工となった哲学者が、極限の状況で自己犠牲と献身について考え抜き、克明に綴った、魂の記録。

青色本
L・ウィトゲンシュタイン　大森荘蔵 訳
「語の意味とは何か」。端的な問いかけで始まるこのコンパクトな書は、初めて読むウィトゲンシュタインとして最適な一冊。（野矢茂樹）

法の概念〔第3版〕
H・L・A・ハート　長谷部恭男 訳
法とは何か。ルールの秩序という観念でこの難問に立ち向かい、法哲学の新たな地平を拓いた名著。批判に応える「後記」を含め、平明な新訳でおくる。

解釈としての社会批判
マイケル・ウォルツァー　大川正彦／川本隆史 訳
社会の不正を糺すのに、普遍的な道徳を振りかざすだけでは有効でない。暮らしに根ざしながら同時にラディカルな批判が必要だ。その可能性を探究する。

生き方について哲学は何が言えるか
バーナド・ウィリアムズ　森際康友／下川潔 訳
倫理学の中心的な諸問題を深い学識と鋭い眼差しで再検討した現代における古典的名著。倫理学はいかに変貌すべきか、新たな方向づけを試みる。

思考の技法
グレアム・ウォーラス　松本剛史 訳
知的創造を四段階に分け、危機の時代を打破する真の思考のあり方を究明する。『アイデアのつくり方』の源となった先駆的名著、本邦初訳。（平石耕）

ポパーとウィトゲンシュタインとのあいだで交わされた世上名高い10分間の大激論の謎
デヴィッド・エドモンズ／ジョン・エーディナウ　二木麻里 訳
このすれ違いは避けられない運命だった？　二人の思想の歩み、そして大激論の真相に、ウィーン学団の人間模様やヨーロッパの歴史的背景から迫る。

大衆の反逆
オルテガ・イ・ガセット　神吉敬三 訳
二〇世紀の初頭、《大衆》という現象の出現とその功罪を論じながら、自ら進んで困難に立ち向かう《真の貴族》という概念を対置した警世の書。

死にいたる病
S・キルケゴール
桝田啓三郎訳

死にいたる病とは絶望であり、絶望を深く自覚し神の前に自己をすてる。実存的な思索の深まりをデンマーク語原著から訳出し、詳細な注を付す。

ニーチェと悪循環
ピエール・クロソウスキー
兼子正勝訳

永劫回帰の啓示がニーチェに与えたものは、同一性の下に潜在する無数の強度の解放である。二十一世紀にあざやかに蘇る、逸脱のニーチェ論。

世界制作の方法
ネルソン・グッドマン
菅野盾樹訳

世界は「ある」のではなく、「制作」されるのだ。芸術・科学・日常経験・知覚など、幅広い分野で徹底した思索を行ったアメリカ現代哲学の重要著作。

新編 現代の君主
アントニオ・グラムシ
上村忠男編訳

労働運動を組織しイタリア共産党を指導したグラムシ。獄中で綴られたそのテキストから、いま読み直されるべき重要な29篇を選りすぐり注解する。

孤島
ジャン・グルニエ
井上究一郎訳

「島」とは孤独な人間の謂。透徹した精神のもと、話者の綴る思念と経験が啓示を放つ。カミュが本書との出会いを回想した序文を付す。（松浦寿輝）

ハイデッガー『存在と時間』註解
マイケル・ゲルヴェン
長谷川西涯訳

難解をもって知られる『存在と時間』全八三節の思考を、初学者にも一歩一歩追体験させ、高度な内容を読者に確信させ納得させる唯一の註解書。

色彩論
ゲーテ
木村直司訳

数学的・機械論的近代自然科学と一線を画し、自然の中に「精神」を読みとろうとする特異で巨大な自然観を示した思想家・ゲーテの不朽の業績。

倫理問題101問
マーティン・コーエン
榑沼範久訳

何が正しいことなのか。医療・法律・環境問題等、私たちの周りに溢れる倫理的なジレンマから101の題材を取り上げて、ユーモアも交えて考える。

哲学101問
マーティン・コーエン
矢橋明郎訳

全てのカラスが黒いことを証明するには？　コンピュータと人間の違いは？　哲学者たちが頭を捻った101問を、譬話で考える楽しい哲学読み物。

解放されたゴーレム
ハリー・コリンズ/トレヴァー・ピンチ
村上陽一郎/平川秀幸訳

科学技術は強力だが不確実性に満ちた「ゴーレム」である。チェルノブイリ原発事故、エイズなど7つの事例をもとに、その本質を科学社会的に繙く。

存在と無(全3巻)
ジャン=ポール・サルトル
松浪信三郎訳

人間の意識の在り方(実存)をきわめて詳細に分析し、存在と無の弁証法を問い究め、実存主義を確立した不朽の名著。現代思想の原点。

存在と無 I
ジャン=ポール・サルトル
松浪信三郎訳

I巻は、「即自」と「対自」が峻別される緒論「存在の探求」から、「対自」としての意識の基本的在り方が論じられる第二部「対自存在」まで収録。

存在と無 II
ジャン=ポール・サルトル
松浪信三郎訳

II巻は、第三部「対他存在」を収録。私と他者との相剋関係を論じた「まなざし」論をはじめ、愛、憎悪、マゾヒズム、サディズムなど具体的な他者論を展開。

存在と無 III
ジャン=ポール・サルトル
松浪信三郎訳

III巻は、第四部「持つ」「為す」「ある」を収録。この三つの基本的カテゴリーとの関連で人間の行動を分析し、絶対的自由を提唱。 (北村晋)

公共哲学
マイケル・サンデル
鬼澤忍訳

経済格差、安楽死の幇助、市場の役割など、私達が現代の問題を考えるのに必要な思想とは? ハーバード大講義で話題のサンデル教授の主著、初邦訳。

パルチザンの理論
カール・シュミット
新田邦夫訳

二〇世紀の戦争を特徴づける「絶対的な敵」殲滅の思想の端緒を、レーニン・毛沢東らの《パルチザン》戦争という形態のなかに見出した画期的論考。

政治思想論集
カール・シュミット
服部平治/宮本盛太郎訳

現代新たな角度で脚光をあびる政治哲学の巨人が、その思想の核を明かしたテクストを精選して収録。権力の源泉や限界といった基礎もわかる名論文集。

神秘学概論
ルドルフ・シュタイナー
高橋巖訳

宇宙論、人間論、進化の法則と意識の発達史を綴り、シュタイナー思想の根幹を展開する——四大主著の一冊、渾身の訳し下し。 (笠井叡)

哲学ファンタジー
レイモンド・スマリヤン
高橋昌一郎訳

論理学の鬼才が、軽妙な語り口ながら、切れ味抜群の思考法で哲学から論理学まで広く論じた対話篇。哲学することの魅力を堪能しつつ、思考を鍛える！

ハーバート・スペンサーコレクション
ハーバート・スペンサー
森村進編訳

自由はどこまで守られるべきか。リバタリアニズムの源流となった思想家の理論の核が凝縮された論考を精選し、平明な訳で送る。文庫オリジナル編訳。

ナショナリズムとは何か
アントニー・D・スミス
庄司信訳

ナショナリズムは創られたものか、それとも自然なものか。この矛盾に満ちた心性の正体を、世界的権威が徹底的に解説する。最良の入門書、本邦初訳。

反解釈
スーザン・ソンタグ
高橋康也他訳

《解釈》を偏重する在来の批評に対し、《形式》を感受する官能美学の必要性をとき、理性や合理主義に対する感性の復権を唱えたマニフェスト。

声と現象
ジャック・デリダ
林好雄訳

フッサール『論理学研究』の綿密な読解を通して、「脱構築」「痕跡」「差延」「代補」「エクリチュール」など、デリダ思想の中心的〝操作子〟を生み出す。

歓待について
ジャック・デリダ
アンヌ・デュフールマンテル序論
廣瀬浩司訳

異邦人＝他者を迎え入れることはどこまで可能か？ギリシャ悲劇、クロソウスキーなどを経由し、この喫緊の問いにひそむ歓待の（不）可能性に挑む。

省察
ルネ・デカルト
山田弘明訳

徹底した懐疑の積み重ねから、確実な知識を探り世界を証明づける。哲学入門者が最初に読むべき、近代哲学の源泉たる一冊。詳細な解説付新訳。

方法序説
ルネ・デカルト
山田弘明訳

「私は考える、ゆえに私はある」。近代以降すべての哲学は、この言葉で始まった。世界中で最も読まれている哲学書の完訳。平明な徹底解説付。

社会分業論
エミール・デュルケーム
田原音和訳

人類はなぜ社会を必要としたか。社会はいかにして発展するか。近代社会学の嚆矢をなすデュルケーム畢生の大著を定評ある名訳で送る。（菊谷和宏）

リベラリズムとは何《なに》か

二〇二一年三月十日　第一刷発行

著　者　マイケル・フリーデン
監訳者　山岡龍一（やまおか・りゅういち）
訳　者　寺尾範野（てらお・はんの）
　　　　森達也（もり・たつや）
発行者　喜入冬子
発行所　株式会社　筑摩書房
　　東京都台東区蔵前二―五―三　〒一一一―八七五五
　　電話番号　〇三―五六八七―二六〇一（代表）
装幀者　安野光雅
印刷所　星野精版印刷株式会社
製本所　株式会社積信堂

ISBN978-4-480-51040-2 C0110

ちくま学芸文庫